EL NIÑO Y SU MUNDO

Cómo mejorar la relación con tu hijo adolescente

Penny Palmano

ONIRO

Título original: *Yes, Please. Whatever!*
Publicado en inglés por HarperCollins Publishers Ltd.

Traducción de Joan Carles Guix

Diseño de cubierta: Valerio Viano

Ilustraciones: Katherine Palmano

Distribución exclusiva:
Ediciones Paidós Ibérica, S.A.
Mariano Cubí 92 - 08021 Barcelona - España
Editorial Paidós, S.A.I.C.F.
Defensa 599 - 1065 Buenos Aires - Argentina
Editorial Paidós Mexicana, S.A.
Rubén Darío 118, col. Moderna - 03510 México D.F. - México

© Penny Palmano 2005

© 2006 exclusivo de todas las ediciones en lengua española:
  Ediciones Oniro, S.A.
  Muntaner 261, 3.º 2.ª - 08021 Barcelona - España
  (oniro@edicionesoniro.com - www.edicionesoniro.com)

ISBN: 84-9754-226-6
Depósito legal: B-27.874-2006

Impreso en Hurope, S.L.
Lima, 3 bis - 08030 Barcelona

Impreso en España - *Printed in Spain*

En memoria de mi ahijada,
Clare

A
Katherine, Sam y Fran.
Sois maravillosos. No cambiéis jamás.
Por cierto..., hablando de vuestro cuarto...

Índice

Buenos modales y comportamiento

Asuntos propios de la adolescencia

Agradecimientos

Muchas gracias a Katherine, mi hija, por las ilustraciones, aunque eso sí, ¡en el ultimísimo minuto! Gracias también a mi hijastra Fran, y a Sam, mi hijo, por sus comentarios. Asimismo, querría expresar mi agradecimiento a Gregg Davies por su reflexivo prólogo. Y finalmente, gracias a Carole Tonkinson, de HarperThorsons, por su ánimo y entusiasmo.

Prólogo

«Los modales hacen al hombre.» Éste es el título de un trabajo que me encargó el señor Lloyd-Jones durante el último curso de la escuela primaria. No sería descabellado preguntar por qué encomendó una tarea académica tan compleja a un niño de 11 años. Desde luego no fue por mi asombrosa talla intelectual. La verdad es mucho más prosaica. Había hecho el signo de los cuernos sobre la cabeza del engreído entrenador de fútbol, por haber elegido a Paul Parberry en lugar de Melanie Ashley, una auténtica máquina de marcar goles. Por desgracia, me descubrió el terrorífico gigante Lloyd-Jones. Observar a un compañero castigado por él era un deporte extraordinario; nos dejaba boquiabiertos comprobar su habilidad para levantar a un chico en el aire (nunca a una chica, por supuesto) con el brazo izquierdo y acomodarlo debajo de la axila de manera que los músculos glúteos quedaban en la posición óptima para recibir un severo correctivo con la zarpa de oso derecha. Habría preferido otro castigo. Me lo impusieron una vez, y comprobé que tan pronto como perdías la sensibilidad al hormigueo desde el trasero hasta los dedos de los pies, lo demás no estaba mal. Pero aquel castigo era otra historia. ¿Cómo demonios iba a poder hacerlo en las veinticuatro horas que me habían dado?

Tengo que confesar que fue el miedo a lo que pudiera hacerme Lloyd-Jones al día siguiente lo que me impulsó a admitir el «crimen» a mi mamá, con una voz patética y apagada, aquella noche. En lugar del estruendo fonético que esperaba, escuchó con calma lo que tenía que contarle. Dijo que mi demostración de desacuerdo con la elección había sido totalmente inadecuada y que no tendría otro remedio que contárselo a papá cuando llegara a casa. Entretanto no me dejó salir, tuve que ayudarla en las tareas domésticas y me sugirió que no me preocupara por el trabajo. A la mañana siguiente, durante el desayuno, mi papá me entregó ocho hojas de papel escritas. Muchas de aquellas palabras en perfecta caligrafía me eran desconocidas; no figuraban en los libros de Enid Blyton. Se lo entregué al señor Lloyd-Jones. Me preguntó si lo había escrito yo. Le dije que no. Aceptó mi respuesta sin más comentarios. Mucho más tarde en la vida descubrí que le causó admiración que, como familia, hubiéramos resuelto mi problema.

Es una anécdota que ha quedado grabada a fuego en mi memoria y que ha sentado las bases de mi enfoque de la educación, y posteriormente de la paternidad. Un incidente que reúne tres importantes cualidades: confianza, honradez y respeto, valores tradicionales que constituyen un esqueleto sobre el que podemos construir un cuerpo de habilidades para la paternidad. El libro de la señora Palmano nos ayuda, como padres, a centrar nuestra atención en cómo establecer una relación positiva con nuestros hijos a partir del sentido común. Asimismo, lo recomiendo muy encarecidamente a los directores de escuela.

Gregg Davies
Director de escuela
Shiplake College
Henley-on-Thames

Disfruta (o por lo menos inténtalo)

Al igual que deseo unos hijos educados y respetuosos con los que pueda salir sin correr el riesgo de necesitar ayuda psicológica posteriormente, detesto las discusiones, los portazos, los enfrentamientos y tener que pedir constantes disculpas por su comportamiento como adolescentes. Me gusta que reine la tranquilidad en el hogar y desearía que se mostraran simpáticos y amables. En otras palabras, una buena compañía, y no adolescentes estereotipados que vilipendian incesantemente a sus semejantes y marginados como una especie curiosa a la que hay que criticar sin pausa, de la que todos hacen bromas y provocan irónicas y desdeñosas risotadas.

Aun así, muchos padres parecen bastante resignados ante el hecho de que las opiniones de sus hijos, su sentido del estilo, la elección de los amigos, la ocupación del tiempo y las responsabilidades forman parte de un colosal chiste conspirativo que pone a prueba sus límites.

Pues bien, te satisfará saber que los años de adolescencia de nuestros hijos no tienen por qué ser un período de discusiones interminables, beligerancia y agresión.

La transición de tu hijo desde la infancia hasta la adolescencia debería ser bien recibida y no temida como si estuvieras a punto de firmar un pacto con el diablo y alimentar a un hombre lobo, si bien es cierto que en ocasiones puede parecerlo. Tus hijos están llegando a su etapa final del desarrollo, desde ese pequeñín que te cree a pies juntillas hasta quien es ahora, con sus opiniones e ideas. Desde los trece hasta los dieciocho años deberías deleitarte observando cómo maduran estas ideas y pensamientos. La forma que tiene tu hijo de dieciséis años de ver el mundo, un mundo radicalmente distinto al que conocía antes, es estimulante e incluso inspiradora. Es la hora de prestar oídos a sus esperanzas en el futuro. Cinco años más tarde, tu «hijita» de trece años, que ahora está decidida a convertirse en una estrella del pop, hará estudios de medicina en la universidad. Es una época incomparable.

El niño que ha llegado al comienzo de la pubertad no es una especie de extraterrestre, sino tu precioso bebé que no te dejaba pegar ojo por la noche y que vomitaba la leche en tu blusa, lo cual no quiere decir que ahora no pueda suceder, aunque probablemente no será leche, sino los espaguetis del almuerzo.

Su comportamiento adolescente es un barómetro de cómo los tratamos de niños y de cómo lo hacemos ahora. Recuerda, pues, que sólo obtenemos de los adolescentes lo que merecemos.

Estos años finales volarán, excepto en contadísimas ocasiones, y muy pronto tu hijo se habrá marchado a la universidad, de viaje o al trabajo. Prácticamente habrá abandonado el hogar familiar. Mi hija está ahora en la universidad y de vez en cuando voy a su habitación y tiro al suelo un par de toallas sucias. Me hace sentir más en casa.

Así pues, en la víspera del decimotercer cumpleaños de tu hijo, cuando le des el beso de buenas noches, recuerda lo maravilloso que ha sido de pequeño e intenta adivinar qué te deparará el futuro para mañana y los siete años siguientes. No te preocupes, relájate; también puedes disfrutar de esta nueva etapa.

1

Punto de inflexión

Los adolescentes son medio adultos y medio niños, y es preciso satisfacer ambas necesidades independientemente de que piensen que son ya completamente adultos y que simplemente estás ahí para ponerte a sus órdenes como chófer, banco, lavandera y patrocinador musical.

Tres factores influirán en el comportamiento del adolescente: la pubertad, la lucha por la independencia y su córtex prefrontal (una parte del cerebro) infradesarrollado. Cualquiera de ellos puede, por sí solo, ocasionar problemas, pero los tres juntos componen un potente cóctel que hay que abordar con cuidado. Echa en el caldero de agua hirviendo la presión de sus iguales, los exámenes y las nuevas relaciones y empezarás a comprender por qué se sienten frustrados, disgustados, irrazonables y a qué se deben sus constantes cambios en el estado de ánimo.

Pubertad

La pubertad acarrea un profundo trastorno hormonal. Las chicas saben perfectamente, por haberlo experimentado en carne propia, de lo que son capaces las hormonas durante el síndrome premenstrual (SPM). Irritabilidad, agresividad, irracionalidad e incluso depresión son síntomas de la fluctuación hormonal. Intenta comprender sus sentimientos. Afronta el SPM con una actitud seria y no tardarás en descubrir cómo se siente tu hija en esta etapa de su vida.

«¿Vas a salir con tu novio esta noche?» «¿Y por qué no, mamá?
Tú también lo hacías. ¿A qué hora te parece que vuelva?»

Independencia

Cuando los niños alcanzan la adolescencia, entran en otra fase del desarrollo: el combate por su independencia. Es el impulso final para despegarse («destetarse», podríamos decir) definitivamente de ti, lo cual, en ocasiones, puede ser muy doloroso para los padres. Durante los doce últimos años querían estar a tu lado; ahora prefieren estar solos o en compañía de sus amigos. La clave reside en darles más control sobre su vida y una mayor libertad de elección, al tiempo que te muestras permanentemente dispuesto a apoyarlo, animarlo y amarlo.

El cerebro adolescente

Ahora, contrariamente a la creencia popular de muchos padres, los adolescentes tienen cerebro. Lo que ocurre es que no funciona como el de un adulto. El chico no puede hacer nada para remediarlo; es algo natural.

En los últimos diez años, los neurólogos han llegado a interesantísimos resultados que pueden explicar, en parte, por qué el adolescente se comporta tal y como lo hace. En el siglo pasado se daba por sentado que el cerebro había finalizado el proceso de maduración cuando el niño llegaba a la pubertad, y que la angustia tenía su origen en la necesidad de reafirmar su independencia y fluctuación hormonal.

De un modo similar a los cambios que experimenta el adolescente en su cuerpo, algunas regiones del cerebro maduran en diferentes momentos. El córtex prefrontal, por ejemplo, asociado a la «policía» cerebral, no completa su desarrollo hasta los veinte y pocos años. Esta parte del cerebro verifica toda la información que recibe de otras regiones cerebrales antes de emitirla. Así, podemos leer algo que nos provoque una rabia incontenible, pero el córtex prefrontal interviene y ordena a esa región del cerebro que se «tranquilice».

Como dijo Karl Pibrab, director de Brain Research and Informational Sciences en la Universidad de Radford, en Virginia, «El córtex prefrontal es la sede de la civilización».

En consecuencia, hasta que el córtex no está plenamente desarrollado, la mayoría de los adolescentes carecen de la capacidad para realizar juicios de valor correctos, controlar sus emociones, priorizar o combinar múltiples tareas, como por ejemplo tomar una decisión acertada entre ver la televisión, telefonear a un amigo, cumplir con sus obligaciones en la realización de los quehaceres domésticos a su cargo o hacer los deberes. Esto significa que no se equivocan simplemente para fastidiar intencionadamente a los padres. Como decía él neurólogo y escritor Richard Restak en su libro *The*

Secret Life of the Brain, «El cerebro adolescente es un trabajo en progreso que sólo estamos empezando a comprender». ¿Qué podemos pues hacer al respecto? Nada.

Marvin Zuckerman, profesor de psicología, ha descubierto que las nuevas experiencias, en especial las que comportan un elemento de riesgo, se fraguan en una parte del cerebro del adolescente vinculada a los centros emocionales que producen sentimientos de intenso placer. Si ello añadimos las investigaciones que demuestran que, durante la adolescencia, se produce un declive temporal en la producción de serotonina en el cerebro que los hace actuar más impulsivamente, empezarás a darte cuenta de por qué el adolescente podría montarse en el coche de un amigo bebido a pesar de nuestras advertencias.

Finalmente, los descubrimientos de la neuróloga Francine Benes indican que uno de los últimos desarrollos en el cerebro adulto es el revestimiento de los nervios llamado «mielina», que actúa como el aislante de un cable eléctrico, permitiendo que los impulsos eléctri-

«No es culpa mía no haber hecho los deberes de matemáticas,
no haberme duchado ni haber sacado a pasear al perro...
¡Es el infradesarrollo de mi córtex prefrontal!»

cos circulen por el nervio más deprisa y más eficazmente. De ahí que la coordinación de un niño de tres o cuatro años sea inferior a la de otro de diez. Pero este proceso puede ser incompleto hasta la frontera de los veinte. Algunos de estos nervios que han estado revestidos de mielina durante la adolescencia conectan regiones del cerebro que controlan las emociones, el juicio y el control de los impulsos. Esto se produce antes en las chicas que en los chicos, lo que probablemente explique por qué éstas son más maduras emocionalmente que aquéllos, cuyos niveles de mielina pueden tardar hasta la edad de treinta años para alcanzar los mismos índices. (¿Treinta? Debe de ser un error. ¿No serían setenta?).

Fuentes sanas de motivación

Probar nuevas experiencias forma parte de un crecimiento normal y sano, y como padres debemos intentar y animar las fuentes de motivación seguras. Mientras un chico puede descubrirlas interpretando su papel en una obra de teatro en la escuela, otro preferirá la excitación de la bicicleta de montaña, y otros en fin tendrán la suerte de poder esquiar o practicar el submarinismo. Por desgracia, muchos chicos no tienen la opción o interés de encontrar un deporte o afición que los motive, y recurren a la delincuencia o las drogas.

Anima a tu hijo a probar nuevas experiencias y descubrir nuevas aficiones si es que aún no tiene una que lo satisfaga.

Afortunadamente, si todas estas investigaciones científicas han dado resultados probados, siempre cabe la posibilidad de que incluso los adolescentes muy problemáticos puedan aprender a tomar decisiones acertadas.

En cualquier caso, aun considerando que estas investigaciones sean absolutamente correctas, es preferible que tu hijo no lo sepa. De lo contrario, cada vez que le preguntes por qué no ha hecho los deberes o llenado el lavavajillas, replicará: «No es culpa mía mamá. ¡Es mi córtex prefrontal infradesarrollado!».

¿Por qué ha salido todo tan rematadamente mal?

Los adolescentes no son perfectos, y para ser sinceros, si tu hija de quince años está en casa cada noche, viste la ropa que eliges, nunca llama a una amiga ni sale con sus compañeros, está siempre de acuerdo con tus opiniones, nunca ha probado mil y un estilos de peinado ni maquillaje, sólo escucha tu música favorita y tiene el cuarto limpio y ordenado, ¿te sentirías inmensamente feliz o seriamente preocupado? Créeme, estarías preocupado.

Los adolescentes se hallan en una encrucijada entre ser un adulto y ser un niño, lo cual es muy frustrante para ellos y también para ti. Es un período en el que descubren que pueden ser independientes de sus padres, aunque siguen necesitando su orientación, amor y apoyo, aunque no estén dispuestos a aceptarlo conscientemente. Todos los adolescentes quieren ser adultos, pero carecen de la madurez para dominar el comportamiento adulto. A menudo actúan de una forma infantil, pero se enojan si se los trata como niños. Por lo demás, disfrutan positivamente en un mundo de no-responsabilidades; pueden pasarse todo el día sentados frente al televisor sin preocuparse en lo más mínimo de lo que acontece a su alrededor ni en el mundo en el que viven, o prepararse un simple sándwich y dejar la cocina echa un desastre, con un montón de utensilios, fiambres, mantequilla, chocolate, mermelada y migas de pan esparcidos por todas partes.

La adolescencia es un tiempo de experimentación, y las dificultades surgen cuando los padres pierden el equilibrio entre dejarles experimentar su nueva independencia y seguir respetando los límites establecidos.

Confiar en el adolescente es la clave de su autorrespeto y de su respeto hacia ti. La mayoría de los conflictos entre padres y adolescentes tienen su origen en cuestiones simples y sin mayor importancia, tales como llegar tarde a casa, las tareas escolares, la limpieza de la habitación y no ayudar en los quehaceres domésticos, cuestiones, todas ellas, que se pueden solucionar con negociación y compromiso y buena voluntad. Los adolescentes sólo se muestran rebeldes cuando alguien se muestra igual con ellos.

Es imposible educar y ejercer la paternidad con un adolescente igual que cuando era un niño. El comportamiento de los padres debe cambiar necesariamente si lo que desean es cambiar el de su hijo.

Durante los últimos doce años los padres han guiado y alimentado a su hijo, y ahora deben retroceder en algunas áreas. Aunque siguen estando ahí para amarlos y apoyarlos, deben darles la oportunidad de aprender nuevas habilidades en la vida, lo cual obliga a ceder en las actitudes sobreprotectoras o de excesiva orientación en la forma de abordar los problemas de cada día. Pero los adolescentes siguen necesitando límites, ya que la adolescencia es un período de tiempo muy confuso y conocerlos resulta reconfortante, si bien en ocasiones se sientan frustrados y profundamente disgustados por el hecho de tener que aceptarlo. Los adolescentes que no están sujetos a límites se sentirán desdichados y deprimidos, aunque puedan asegurar que no es así.

Muchos padres tienen dificultades para comprender que el hecho de que sus hijos prefieran pasar más tiempo con los amigos que con la familia no significa que los quieran menos. Los querrán y respetarán incluso más por aceptar que ahora son independientes de la constante supervisión paterna y asignarles más responsabilidades para demostrarlo. Asimismo, también suelen tener dificultades para adaptarse a la distancia emocional que establecen algunos chicos de estas edades, pero una vez más esto no es debido a que su amor hacia ellos haya disminuido, sino a que han emprendido el camino hacia el «desapego» del núcleo familiar. Los adolescentes siguen buscando la aprobación de sus padres, y si éstos los critican constantemente, la buscarán en cualquier otra parte. No tolerarán a unos padres que pasen el santo día diciéndoles «No», que los juzguen rutinariamente, les den órdenes, los critiquen o no se muestren dispuestos a negociar.

Agresividad..., ¡la tuya!

Habrá veces en que la frustración y el enojo llegarán a un punto de máximo hervor, el pulso cardíaco se acelera y quieres gritarle y chillarle, e incluso zarandearle o pegarle. «¿Cómo es posible que haya hecho esto», «¿Por qué no hace nunca lo que se le pide?», «¿Por qué sólo piensa en sí mismo y no en los demás?», «¿Por qué tiene que dejarlo todo hecho un desastre allí por donde pasa?». La sobrecarga emocional puede estallar por cualquier cuestión, incluso una simple mirada o un encogerse de hombros. En primer lugar, es normal sentirse así. Eres un padre, no Francisco de Asís. Tienes tus propias ansiedades y estrés derivados de otras facetas de tu vida que lógicamente influyen en la forma en la que tratas a tu hijo algunos días. Cuando estés sobrecargado, aíslate en tu dormitorio, túmbate en la cama o sal a dar un paseo y concédete cinco minutos de respiro. Inspira y espira profundamente, mira unas cuantas fotos de tu hijo cuando era niño y sonríe por muy difícil que pueda parecer. Incluso podrías soltar un grito huracanado para liberar toda la frustración que llevas dentro. No te preocupes, no serás el único; todos nos sentimos así tarde o temprano. Y por lo que más quieras, no te sientas culpable de sentirte tan mal; sólo es rabia contenida. En cualquier caso, es preferible recuperar el control antes de abordar un tema más o menos escabroso que sabes que probablemente acabará en discusión. Siempre puedes recurrir a una medida alternativa: «Ven aquí y dame un abrazo para recordarme por qué te quiero tanto; de lo contrario "te mato"».

Prioridades

Acéptalo, las prioridades de los adolescentes difieren de las nuestras. De pronto se vuelven desorganizados, holgazanes, su habitación es un caos y la escuela es aburrida. Dos cosas priorizan su mente: ellos y sus amigos.

«¡Sólo piensas en ti!», pueden exclamar algunos padres. Y hasta cierto punto tienen razón, pero también pueden exclamar: «¡Estás en plena adolescencia!». Los adolescentes piensan realmente en sí mismos, su egocentrismo va en aumento a medida que intentan averiguar dónde encajan, pero los mensajes son confusos; viven en un mundo que les está diciendo constantemente que deben crecer, pero habitualmente en una casa donde se les sigue tratando como niños. La sociedad espera de ellos que actúen como adultos, y aun así, todo lo adulto es ilícito. Son muy conscientes de los cambios que está experimentando su aspecto físico y su voz, se sienten inseguros y lo más importante para ellos es adaptarse y congeniar con sus amigos, que dicho sea de paso, se hallan en su misma situación. Por encima de todo, la pertenencia a un grupo es fundamental, sobre todo en la actualidad. En el grupo compartirá los mismos intereses musicales, de cine, deportes, etc., y aunque desean ante todo afirmar su individualidad, se sienten muy felices de poder adaptarse al código de vestir o de comportamiento del grupo.

Las presiones a las que está sujeta esta generación de adolescentes son mucho mayores que en el pasado: padres separados, drogas, logros académicos, alcohol y sexo. Y es precisamente nuestra generación la que ha infligido esta confusión, esta actitud presurizada sobre ellos.

Habida cuenta de la situación, es natural que empiecen a pensar más en sí mismos.

A los adolescentes de hoy se los culpa de ser demasiado materialistas y una generación de consumidores, pero ¿hasta qué punto son responsables de ello? Cuando éramos pequeños nos hacían regalos de cumpleaños y en Navidad, pero esta generación de niños parece tener algo nuevo cada pocas semanas, ya sea porque los padres que se sienten culpables de trabajar tantas horas y estar tanto tiempo fuera de casa como si ceden con excesiva facilidad a su «exigencia» de comprar un DVD nuevo.

Infractores de las normas

A los adolescentes les encanta experimentar e ir más allá de los límites establecidos. Quieren demostrar que se han liberado de nuestro control y que son responsables de su propia vida. De pronto, todo un mundo adulto y cuanto está asociado al mismo, fumar, beber, estar fuera de casa hasta altas horas de la madrugada, películas porno, sexo, drogas y rock'n roll está al alcance de su mano (recuerda lo excitante que era también todo esto para ti).

Son muy pocos los chicos que viven la adolescencia sin infringir la ley de uno u otro modo, como por ejemplo beber sin haber alcanzado la mayoría de edad, falsificar su identidad o fumar, y algunos incluso se ven implicados en delitos más graves, tales como el robo o las drogas. Algo hay de positivo en todo esto. Estadísticamente, este comportamiento delictivo adolescente parece alcanzar su auge alrededor de los 17 años y que luego desaparece en la edad adulta. Sin

«¿Cómo?»

embargo, también subyace un componente negativo: como padre tendrás que vivirlo.

Los adolescentes infringen la ley para parecer mayores, encajar con sus iguales, impresionar a sus amigos y, dependiendo de su actitud, a veces simplemente para demostrar cuán independientes y adultos son, de manera que cuanto más desapruebes su comportamiento, más rebelde puede mostrarse.

Tienen que empezar a tomar sus propias decisiones y descubrir las consecuencias de determinados actos. Forma parte del descubrimiento de su identidad y deberías apoyarlo y motivarlo, ya que, sin duda alguna, cualquier oposición por tu parte redundará en enfrentamientos muy desagradables.

Tipos de padres

¿Acaso nuestra memoria es tan escasa que hemos olvidado cómo éramos de adolescentes? O mejor, ¿nos aterroriza pensar que nuestros hijos se comportarán como lo hacíamos nosotros a esta edad? ¿Miedo? Sí.

Dependiendo de tu edad y tus preferencias, tus años de adolescente pueden haber pasado enloqueciendo con Jimi Hendrix, The Doobie Brothers o Bay City Rollers. En cualquier caso, podría asegurar sin temor a equivocarme que en algún momento papá o mamá te pedían a voz en grito «¡baja el volumen de esta condenada música!», y les prometíamos que cuando tuviéramos hijos nunca actuaríamos de esta forma. Quien más quien menos tiende a considerarse un angelito en aquella casi olvidada adolescencia, pero la realidad es que la música sonaba a decibelios que desbordaban toda capacidad de aguante. ¿Qué ocurría? Al final bajábamos el volumen, pero no porque nos lo dijeran nuestros padres, sino porque estaba, en verdad, excesivamente alto. Luego fuimos madurando y comprendiendo. Tu hijo hará lo mismo. Su forma de comportarse y actuar como adolescente cambiará en la adultez (¡hurra!).

De manera que probablemente te estarás preguntando por qué tenemos que pasar indefectiblemente por cinco años de tensión. Se suele decir a menudo que los adolescentes necesitan discutir y batallar con sus padres en su viaje hacia la edad adulta. Tal vez así sea, pero ¿es realmente indispensable convertir en una absoluta miseria la vida de cuantos los rodean durante el proceso? No.

Todo se reduce a la lucha por el control. Lo tienen los padres y los chicos lo desean. Lo que marcará la diferencia en el comportamiento y sensatez de todos dependerá del modo en que los padres lo afronten.

Hay cinco categorías en la forma de tratar a un hijo adolescente, y no existen reglas de probada eficacia que facilitan la elección de una u otra.

Padres disgustados

El comportamiento de sus hijos conduce a los padres a la distracción, recurriendo a los gritos, órdenes, interminables sermones y frases que demuestran cuán enojados y desengañados están, cuán «malos» o egoístas son y qué han hecho para merecer todo esto.

RESULTADO

Vociferar a un adolescente produce un resultado inequívoco: que también él grite. Darle órdenes provoca discusiones, portazos e intensos desafíos de poder. Estos padres están abocados a conseguir una ruptura completa de la comunicación con su hijo. Por otra parte, decirle incesantemente a alguien, ya sea niño, adolescente o adulto, lo malo que es casi siempre acaba en una profecía de autorrealización.

«¡Tómatelo con calma!»

Padres controladores

Nunca dejan a sus hijos adolescentes asumir el control de ningún aspecto de su vida. Se resisten a cederles responsabilidades o a que sufran las consecuencias de sus actos.

RESULTADO
Estos chicos crecen incapacitados para tomar decisiones o llevar una vida completamente independiente de sus padres. Si no se les permite aprender que determinadas acciones llevan asociadas consecuencias, serán incapaces de responsabilizarse de su comportamiento. En suma, adultos de pesadilla.

Padres indiferentes

Cuando el adolescente empieza a desapegarse de sus padres, éstos se muestran más que felices de dejarle hacerlo, convencidos de que sus días de paternidad han terminado. Estos chicos quedan flotando sin apoyo ni orientación. Se relacionan con quien quieren, cuándo y dónde quieren, y hacen las cosas sin la menor supervisión.

RESULTADO
La paternidad indiferente puede tener resultados devastadores. Duplica el riesgo de consumo de tabaco, drogas y alcohol. La falta de cariño, cuidado y apoyo paterno puede desembocar en violencia, depresión, ansiedades e incluso trastornos de salud mental.

«Y ahora, querida, cuando salgas esta noche, no quiero que fumes ni bebas.»

Padres demasiado indulgentes

Estos padres no establecieron los suficientes límites cuando sus hijos eran pequeños y les dieron cuanto querían excepto atención positiva y disciplina. Pululan a su alrededor creyendo que lo único que necesitan es que los lleven en coche y una asignación semanal, que ofrecen generosamente.

RESULTADO

Los adolescentes son muy irrespetuosos con sus padres en el modo de tratarlos y hablarles, y necesitan una buena comunicación con ellos en lugar de un talonario.

Padres respetuosos

Este tipo de padres respeta a sus hijos adolescentes escuchándolos, estableciendo límites, comprometiéndose, confiando, apoyando y animando. Los dotan de responsabilidad al tiempo que los advierten que los actos tienen consecuencias asociadas.

RESULTADO

Los chicos que disfrutan de un estrecho vínculo afectivo con ambos miembros de la pareja o con uno de ellos se sienten confiados, seguros de sí mismo, amados y apoyados, lo cual suele redundar en excelentes relaciones paterno-filiales, algo que ha sido probado por las investigaciones sobre el comportamiento adolescente. Son capaces de experimentar su nueva independencia y de desarrollarse satisfactoriamente en este entorno «nutritivo».

Existen algunos principios básicos que todo padre de un adolescente debería recordar:

- Mantén la calma. Si es necesario, inspira y espira profundamente antes de responder a las exigencias de tu hijo. Evita a toda costa los gritos.

- No te enzarces en discusiones, aprende a morderte la lengua y márchate en lugar de empeñarte en tener siempre la última palabra.
- Recurre al compromiso y la negociación siempre que sea posible para evitar el término «No». Y cuando no tengas otro remedio que decirlo, explica el porqué, y no tengas reparos en cambiar de opinión cuando la ocasión lo requiera.
- Procura usar siempre un ejemplo para ilustrar una situación en lugar de definirla sin mayor reflexión.
- Evita el sarcasmo.
- Conserva el sentido del humor; reír es un antidepresivo.
- Sustituye frases tales como «¿Has hecho ya los deberes?» por otras menos controladoras y contundentes como «¿Qué tal van los deberes?».
- Responsabilízalo de su comportamiento siempre que sea posible.
- Dile que confías en él en que hará lo correcto.
- Procura mostrarte entusiasta y positivo con sus amigos, opiniones y esperanzas.

Cuando las cosas se pongan feas, siéntate con una copa de buen vino y recuerda lo encantador que era a los cinco años.

- Evita decir: «Ya te lo dije». Es molesto e innecesario. Después de todo, nadie lo conoce mejor que tú, que eres su padre.
- Recuerda que aún necesita afecto físico, pero nunca lo demuestres delante de sus amigos.
- Interésate por lo que está pasando en su cabeza.
- Evita las discusiones constantes con tu pareja delante de él.
- No los atribules con tus problemas.
- Ten siempre un buen suministro de vino frío en el frigorífico.

Pero, por encima de todo, no te asustes de ser el padre de un adolescente. Te necesita ahora más que nunca.

Lo que necesitan realmente los adolescentes

Lo que realmente necesitan los adolescentes es amor, respeto, confianza, apoyo, comprensión, ánimo y responsabilidad, y no un televisor, un ordenador, un DVD, un iPod, un armario lleno de ropa de diseño y una permisividad ilimitada.

La mejor manera de ayudar a tu hijo en la adolescencia es implicarte en lo que está sucediendo en su vida y hablar con él a diario. Aun siendo adolescente, necesita tu afecto físico y sigue aprendiendo de tu ejemplo. Asegúrate, pues, de que siempre sea el adecuado.

Esto es lo que **cree** necesitar.

Ahora que tu hijo lleva una vida más independiente, es menos probable que estés a su lado para demostrarle cómo debería comportarse. Si intentas o te limitas a facilitarle una lista de lo que se debe y no se debe hacer, te considerará un padre demasiado controlador y probablemente ignorará tu consejo.

La forma más satisfactoria de canalizar tus opiniones y expectativas en relación con su comportamiento es introducir diferentes temas en las conversaciones. El coche o la cena son ocasiones ideales para mantener su exclusiva atención.

Usa ejemplos de comportamiento de otros adolescentes o algo que has leído o experimentado, o simplemente plantéale dilemas para ver cómo reacciona. Por ejemplo, «El otro día estaba en el tren y había cuatro chicos sentados juntos, hablando soezmente en voz alta, comiendo hamburguesas y patatas fritas. Al terminar, tiraron al suelo los desperdicios. Todo el mundo se sentía disgustado con ellos». «¿Qué te hace suponer que yo no hago lo mismo en el tren?». «Sé que sabes comportarte y estoy convencido de que no hubieras hecho lo mismo. Tengo fe ciega en ti.»

Usando ejemplos para puntualizar una cuestión, tu hijo comprende cómo te sientes acerca de una y mil cuestiones, y cómo esperarías que reaccionara o comportara en circunstancias similares. Asimismo, le estás dando la oportunidad de formular preguntas hipotéticas.

Veamos un ejemplo. «No lo creerás, pero el otro día leí en el periódico que una chica de dieciséis años se había acostado con un chico y le dijo que había tomado la pastilla. Era mentira. Esperaba que si quedaba embarazada se convertiría en su novio formal. Triste, ¿no?» Es muy probable que tu hija replique: «¿Cómo reaccionarías si te dijera que estoy embarazada?». «Bueno, ante todo cariño, confiaría en que esperaras a tener relaciones sexuales hasta ser un poquito mayor de dieciséis años. En cualquier caso, si vas a mantener una relación sentimental prolongada, usa anticonceptivos. Pero qué vergüenza que esa pobre chica fuera tan inocente como para pensar que quedándose embarazada o practicando el sexo con alguien, ese alguien la querría más. Los chicos casi siempre tienen sexo con las chicas si éstas se lo proponen, pero cuando se enteran de que una chica es tan fácil, casi nunca la quieren como pareja.» «Pero ¿y si fallaran los anticonceptivos y quedara embarazada? ¿Me echarías de casa?»

«Nada en el mundo me impulsaría a echarte, aunque como es natural no daría saltos de alegría. Lo afrontaríamos juntos. Sabes perfectamente que siempre puedes hablar conmigo de lo que te apetezca, sobre todo de cuanto te preocupa.»

Evidentemente, tu forma de comportarte en la vida y de tratar a la gente tendrá un gran impacto en la conducta de tu hijo adolescente.

Es probable que ahora más que en cualquier otro momento de su vida necesite:

- Amor y atención
- Respeto
- Apoyo
- Comunicación

2

Amor y atención

Las demostraciones de amor incondicional hacia tu hijo no deberían tener fin, tanto si tiene dos años como treinta y dos. Es tu modo y el suyo de demostrarlo lo que cambiará. Ya no querrá sentarse en tu regazo con un biberón de leche caliente ni que le cuentes un cuento cada día a la hora de acostarse. Sin duda preferirá estar en compañía de sus amigos deleitándose con unas patatas fritas y una bebida refrescante mientras disfruta de una película de incontenible violencia hasta las tres de la madrugada. Pero esto es simple y llanamente crecer.

Incluso de adultos cambian nuestras necesidades. Piensa en cuando te casaste por primera vez o vivías con tu pareja. En contacto físico y las caricias eran interminables, en cualquier ocasión y en cualquier lugar: la alfombra, el sofá, la ducha, la mesa de la cocina (¡antes de que llegaran los hijos naturalmente!). Sin embargo, catorce o quince años más tarde tal vez te ruborices al pensar en lo que se podía llegar a hacer en aquella mesa: «¡Pero si acabo de barnizarla!», «Piensa en tu espalda», «¿Por qué aquí y ahora. ¿Estás loco?». Seamos sinceros, la idea del orgasmo múltiple probablemente quedó reducida a un día en aquel balneario de ensueño, entre mimos y caricias, y gozando de cuanto sabe transmitir el género humano mientras paladeabas una copa de champán helado. Pero esto no significa que queramos menos a nuestra pareja o que nuestro amor haya cambiado. Afortunadamente no es así. Sólo han cambiado nuestras necesidades.

Vale también para los padres de adolescentes. Su amor no debería cambiar, sólo la forma de manifestarlo. Tu hijo te sigue queriendo, aunque no lo demuestra como estabas acostumbrado. Así pues, aunque la dinámica de la relación haya cambiado, ese amor incondicional debe permanecer firme e inmutable, a pesar de que en más de una ocasión sientas que «alguien» lo está poniendo a prueba.

Algunos padres de hijos adolescentes constantemente enfrentados pueden olvidar cuánto los aman, hasta el punto de empezar a pensar que realmente les disgustan cuando, en realidad, lo que no les gusta no son ellos sino su comportamiento.

Cómo demostrar amor

Demostrar amor a tu hijo puede ser mucho más comprometedor ahora que de niño. Bañar a tu chiquitín de tres añitos, matarlo a besos y caricias era fácil, pero ¿y ahora qué? El adolescente también sueña en besos y arrumacos, pero por desgracia ya no de tu parte. Pero esto no quiere decir que no deseen tu afecto físico, sino simplemente que tu manera de demostrárselo será diferente.

Los niños maduran y alcanzan la pubertad en momentos diferentes, de modo que no existe una edad específica en la que se pueda asegurar que ha llegado el momento de dar por concluidas las demostraciones públicas de afecto. No tardarás en darte cuenta de que ese momento ha llegado; tu hijo evita los besos en la mejilla en público.

Afecto físico

Ni se te ocurra demostrar el afecto físico delante de sus amigos. Olvídate, pues, del beso de despedida en la escuela (a decir verdad, en caso de que sigas acompañándolo, es muy probable que te pida bajarse del coche a una cierta distancia para que no lo vean contigo). En general, la mayoría de los adolescentes no quieren ser vistos en público con sus padres y, muy especialmente, si media algún tipo de demostración afectiva. Bastará un apretón en el brazo o una palmadita en la espalda.

Evidentemente, algunos chicos son menos inhibidos, y en estos casos te besarán al despedirse, lo cual es genial. Pero deja que sean ellos quienes se anticipen.

No obstante, en casa es extremadamente importante mantener el contacto físico. Cuando salen o llegan de la escuela, un beso y un abrazo siempre serán muy bienvenidos. Abrazar es reconfortante y estimulante, y es precisamente el estímulo y la reafirmación lo que necesitan los adolescentes a manos llenas. Si ves la tele por la noche, deja que apoye sus pies en tu regazo y aprovecha para darle un masaje, pásale un brazo por los hombros o, si se trata de tu hija, tómale la mano y acaríciasela.

Es muy fácil ignorar el contacto físico a medida que los niños van creciendo, pero es de vital importancia para ellos.

Cuando esté haciendo los deberes o frente al ordenador, aprovecha la menor ocasión para darle un masaje en los hombros y la nuca. Si está preocupado por el resultado de un examen, haber quedado fuera de alineación en el partido de fútbol o pasando por una crisis en su relación amorosa, un buen abrazo lo ayudará a sentirse mejor. Asimismo, el contacto de tus manos en su piel es un momento ideal para conversar; las probabilidades de que se levante y se marche a su cuarto son menores.

Los adolescentes son, poco a poco, mucho más conscientes de su relación con los padres, y aunque verlos besándose o incluso abrazándose los hará sentir muy incómodos, es muy sano para ellos asistir a una demostración adulta de afecto y comprobar que son felices y están a gusto juntos.

A menudo, los varones adolescentes intentan distanciarse de su madre. En opinión de los psicólogos, esto no se debe a que sus sentimientos hacia ella hayan cambiado, sino a que es la única mujer a la que realmente han amado en la vida y ahora se sienten atraídos sexualmente hacia otras mujeres. Se distancian de ella para evitar la posibilidad del menor sentimiento de este tipo hacia ella. Esto cambiará cuando tomen posiciones más razonables frente a su sexualidad. De manera que aunque la madre pueda sentirse herida, expresiones tales como «Ya no me quieres» o «Solíamos estar tan unidos» son inútiles. El chico adolescente tiene tantas cosas a las que enfrentarse, que toda culpabilidad en relación con mamá es irrelevante.

> **Fran:** «A veces, estar en un lugar público con tus padres es embarazoso, y cualquier intento de besarme o abrazarme me impulsa a rechazarlos».

Las pequeñas cosas son muy importantes

Sabemos que las prioridades de los adolescentes son diferentes de las nuestras, y da la sensación de que aunque pasemos la mayor parte de nuestro tiempo pensando y preocupándonos por ellos, parecen no dedicar ni tan siquiera un nanosegundo a pensar y preocuparse por nosotros. Asumen y esperan automáticamente que como padres somos responsables de alojarlos, alimentarlos, educarlos, vestirlos y llevarlos en coche cuando lo necesitan. Pero son las pequeñas cosas que hacemos por ellos las que apreciarán, y los pequeños momentos de ternura los que, en un contexto más amplio, los harán sentirse más seguros de sí mismos y confiados en nuestro amor.

Envíale mensajes de texto de «Buena suerte» en los exámenes y «Espero que te sientas mejor» en momentos de crisis o depresión. Por muy trivial que pueda parecer, prepárale su comida favorita o cómprale sus galletas preferidas después de un éxito, pero también después de un fracaso. Todo tiene solución. Ayuda a tu hija a ordenar su habitación y luego sorpréndela adornándola con un jarrón de flores. Asegúrate de que el vestido que quiere llevar el fin de semana esté limpio y planchado, y si descubres que ha olvidado su proyecto de ciencias, llévaselo a la escuela, pero cuando se lo entregues no la importunes con un «¿Por qué eres tan desorganizada. Debes aprender a...». Sonríe y di: «Has hecho un buen trabajo. Te quiero mucho».

Recordará estos pequeños detalles de cariño y los apreciará aun en el caso de que no lo mencione en ese momento y más tarde em-

Las pequeñas cosas son importantes.

piece a emularlos haciendo pequeñas cosas a propósito para ti y otras personas. No lo hará de inmediato, compréndelo, pero cuando menos te lo esperes te sorprenderá.

No olvides decirle que lo quieres, pero no lo asocies a una condición: «Te quiero cuando llegas a casa a la hora convenida» o «Te quiero cuando te esfuerzas en los estudios». Tu amor debe ser siempre incondicional: «Te quiero», nada más.

Atención

Aunque los adolescentes empiezan a desear intimidad y pasar más tiempo con los amigos, siguen necesitando la atención de sus padres. Si no la reciben, es probable que la exijan, y al igual que los niños pequeños, si sólo obtienen atención cuando se comportan indebidamente, ahora también lo harán. Así pues, si observas una conducta inmadura y tonta, actúa como lo harías con un berrinche de un niño de dos o tres años y limítate a ignorarla. Vete a la cocina, a tus tareas domésticas o a tu dormitorio. Nunca recompenses con atención un comportamiento estúpido.

Préstale atención a tu hijo conversando con él, comentando sus intereses y lo que suele hacer cuando está con sus amigos, anímalo a que se sume a una partida de naipes, pídele que te muestre su tabla de skateboard o que te haga una demostración de su maestría con el balón, cualquier cosa que sepas que sabe hacer bien. Y recuerda elogiarlo cuando se comporte como debe o dedique algún tiempo a sus hermanos más pequeños sin discutir ni pelear.

3

Respeto

Respeto mutuo

Una de las fuentes principales de problemas entre padres y adolescentes es la falta de respeto que muestran (¡los padres, no los hijos!).

En efecto, los padres hacen constantes comentarios desdeñosos cuando sus hijos están en su radio de radar, tales como «No te preocupes, está pasando por una etapa difícil», «Los adolescentes son así», «Sigue siendo una niña consentida». Cualquiera de estas manifestaciones probablemente ocasionará una grave interferencia en la comunicación, muy lógico por cierto. ¿Cómo te sentirías tú si alguien dijera «Bueno, no es más que un ama de casa», «Típico, no es más que un padre», «No tiene remedio, es una mujer», «¡Bah!, padres. Son todos iguales». Fatal, ¿verdad?, y furioso al mismo tiempo, y lo más probable es que no sintieras el menor respeto por la persona que lo ha dicho o por cualquier otra cosa que pueda decir en el futuro.

¿Cómo podemos esperar que nuestros hijos en crecimiento nos respeten si nos mostramos invariablemente en desacuerdo, disgustados, les hablamos a gritos, nos lamentamos y los enjuiciamos no sólo frente a frente sino también cuando otros pueden oírlo?

¿Puedes imaginar que tu profesor se quejara de ti ante el resto de la clase, y que delante de todo el mundo te gritara lo vago que eres, que tu actitud lo pone enfermo y que detesta tu forma de vestir? ¿Qué esperarías de alguien así a tu edad?:

a) ¿Sentirías un gran respeto hacia él?

b) ¿Te esforzarías por complacerlo?

c) ¿Comentarías a sus espaldas que haría mejor en ocuparse de sus asuntos?

Exactamente, ¿no crees que sería mucho más correcto que te comunicara sus preocupaciones en privado, de una forma más diplomática, con tranquilidad, y que te pidiera tu opinión sobre lo que podrías hacer para mejorar las cosas?

Cuando tus hijos eran pequeños ya tenían sus propias ideas y opiniones, de manera que, como es lógico, diez o doce años más tarde habrán desarrollado algunas más. Independientemente de que puedas o no estar de acuerdo con ellas, respétalas. Ya se trate de prendas de vestir, música, amigos o política, tienen derecho a formarse sus propias ideas, aun en el caso de que sospeches que son fruto de la influencia de sus amigos, una celebridad o un video clip.

Estos años constituyen el empujón final hacia la independencia y el abandono del hogar familiar para emprender su camino. Es un tiempo difícil para muchos padres. Hasta la fecha has estado profundamente implicado en todas las facetas de su vida, eligiendo el vestido que iba a ponerse o la escuela más apropiada. La decisión paterna prevalecía. Pero ahora que tu hijo ya no considera necesario tu *input* (aparte del económico y el de chófer particular), es difícil sentarse y resignarse a desempeñar el papel de mero observador de sus propias decisiones. Limítate a no presionarlo, incomodarlo o meter baza en todas las facetas de su vida.

Cuanto más demostramos a nuestros hijos adolescentes nuestro respeto y confianza, más nos recompensarán con su responsabilidad, y cuanto más responsables se muestren, menos estresados nos sentiremos.

Explica a tu hijo adolescente que quieres que vaya, que vea a sus amigos y que lo pase bien, pero que es normal que te preocupes por su seguridad y que ésta es la razón por la que necesitas saber dónde está y con quién está.

La primera vez que mi hijo quiso ir a Londres en transporte público, me preocupé; era demasiado joven. Pero me dijo que todos sus amigos iban solos. De manera que respiré hondo y me tranquilicé; eso sí, le pedí que me telefoneara al llegar y cuando se hubiera reunido con sus amigos, y lo mismo a su regreso. Cumplió el acuerdo sin mayores problemas. Ahora va y viene solo.

Los adolescentes se mostrarán rebeldes si les das una reprimenda, los importunas innecesariamente, les das órdenes y los enjuicias a cada momento. Habla con tu hijo de adulto a adulto. Incluso como adultos deben darse cuenta de que sigue habiendo reglas y consecuencias asociadas a las mismas en caso de infracción. Por ejemplo, si se gasta la asignación en llamadas con el teléfono móvil, no podrá utilizarlo durante una semana. Aunque castigar a un adolescente puede ser complicado, si esperas a que sea demasiado mayor para empezar con las advertencias y le dices que no saldrá el fin de semana, saldrá de todos modos. Si reduces su asignación, podría hurtar el dinero. En cualquier caso, el castigo físico equivale a *bullying*, raras veces surte efecto y puede desencadenar peleas igualmente físicas.

De ahí que sea importante para él que le cedas la responsabilidad de sus actos. Así, por ejemplo, si deja la bici delante de casa en lugar de guardarla en el garaje y se la roban, no habrá más bicis. Muéstrate amable: «Qué vergüenza, hay tanta gente poco honrada en el mundo. Te despertaré más pronto para ir a la escuela, pues ahora tendrás que ir andando», no con la queja habitual: «Te dije que no la dejaras fuera. Te advertí de que esto iba a suceder. Ahora tendré que comprar otra. ¿Crees que soy el tesoro público?».

> **Sam:** «Comprendo que mis padres se preocupen, pero la verdad es que casi todo lo que hago los hace sentir así. Me gustaría que entendieran que sé evitar los problemas y que soy responsable. A veces digo: «Mamá, ya sabes que puedes confiar en mí». Y es la pura verdad. Entonces me deja ir.

Cómo evitar las discusiones

Procura evitar las discusiones cara a cara. Te sentirás mal, y él peor. Con frecuencia, las discusiones terminan a gritos, palabras malsonantes e innecesarias y acusaciones mutuas que luego lamentamos. Mantén la calma, cuida el vocabulario, no evoques problemas pasados, respeta y escucha lo que tu hijo tiene que decir. Mientras habla, resiste la tentación de interrumpirlo, acusarlo o enjuiciarlo. Escucha, espera y responde, y recuerda siempre que eres el adulto y él el adolescente, aunque te aconsejo encarecidamente que ni lo menciones.

Ante cualquier conflicto, siéntate con él en privado y busca la mejor manera de llegar a un compromiso que ambos consideréis justo. Por ejemplo, si llega tarde a casa sin haberte avisado, en lugar de gritarle: «¿Crees que son horas de llegar? ¡Eres un irresponsable! ¡Una semana sin salir!», intenta serenarte y dile: «Estaba tan preocupado. Eres un chico responsable. Por favor, en adelante llámame para avisarme. Y asegúrate de tener el móvil en marcha para que pueda llamarte yo también».

Cuando no tengas más remedio que discutir con él, trata las cosas una a una. Si el problema principal es un suspenso en el último examen, comenta la causa con él y pregúntale qué piensa hacer al respecto para solucionarlo. No añadas otras cuestiones tales como que su habitación da asco o que no ayuda lo suficiente en casa. Centra el tema y procura no convertir la cuestión en algo demasiado personal; no lo estarás tratando con el respeto que merece y tampoco podrás culparlo de sus irrespetuosas respuestas. Al igual que con los niños pequeños, debes dejar muy claro que no es él quien disgusta, sino su comportamiento o actitud.

Recordarle continuamente a tu hijo que es un rebelde y un desconsiderado sólo crea dificultades, e incluso es muy probable que tus palabras se conviertan tarde o temprano en una verdadera profecía de su comportamiento futuro. Sin embargo, si le dices que es una persona responsable y que confías en él, se esforzará para no decepcionarte. Cuando empiece a salir con sus amigos, dile lo que esperas de él y la asignación semanal que has pensado ofrecerle. Recuérdale también que puede beber, pero que todo tiene un límite, y que no estarás dispuesto a tolerar que llegue a casa y vomite en el recibidor. De lo contrario, no tendrás más remedio que replantearte muy seriamente las cosas.

Los chicos no destacan precisamente por sus razonamientos ni por su destreza verbal cuando discuten, y habitualmente recurren a los insultos o la agresión para defender sus puntos de vista, mientras que las chicas son bastante verbales y suelen combinar los argumentos con una cierta dosis de emotividad. No te enternezcas. Sé firme. La cuestión versará muy probablemente acerca de algo que el adolescente quiere hacer y que tú no se lo permites. En primer lugar, los padres deberían escuchar son calma las razones de su hijo acerca de por qué considera adecuado poder hacerlo, formulando preguntas si es necesario, pero si no los convence sus argumentos, deberían tratar de explicárselo para que comprenda los motivos de su decisión. Si te encuentras en una situación de este tipo, explícate con tranquilidad, incluso excúsate por disgustarlo, que esta vez la cuestión de que se trate es innegociable. Da por finalizada la conversación y márchate. Tema zanjado. Cualquiera que sea su réplica, desde gritar «¡Eres injusto!» hasta el uso de palabras inapropiadas, no te dejes llevar por el acaloramiento. Al igual que los niños pequeños cuyos padres acaban cediendo a sus rabietas, los adolescentes descubren enseguida si sus padres se dejan convencer con una cierta facilidad y, tras un par de súplicas y lamentos, cambian de opinión. En el futuro el acoso será constante. Es posible en cualquier caso que las circunstancias cambien, como en el caso de que el padre de alguno de sus amigos los acompañe al cine o una fiesta. De ser así, no habrá razón para negarse. Explícale por qué has cambiado de opinión.

Una excelente forma de evitar el riesgo de enfrentamientos es, siempre que sea posible, conceder la prerrogativa al adolescente y asignarle la responsabilidad de sus actos. Acepta que pueda salir con sus amigos pero sólo después de haber hecho los deberes. En el supuesto caso de que no los terminen, sólo podrán culparse a sí mismos. Si tu hijo empieza a gritar y vociferar, recuérdale que sabía perfectamente cuáles serían las consecuencias de la infracción del acuerdo y que la responsabilidad era suya. Punto final.

Cuando un padre se enzarza en discusiones con su hijo adolescente, es imperativo que el otro miembro de la pareja no se implique, sobre todo si estuviera pensando en contradecirlo. No sólo menoscabará la autoridad paterna y dará a entender al adolescente que mamá es más razonable que papá, sino que desembocará en un conflicto entre los padres y el enfrentamiento entre padre e hijo pronto se convertirá en un careo entre los padres.

Respetar su intimidad

Una de las primeras diferencias importantes que se aprecia cuando tu niño llega a la pubertad es su necesidad de intimidad. Demuéstrale tu respeto facilitándosela. Los chicos, muy especialmente pueden pasar horas en su cuarto. Por muy difícil que resulte aceptarlo, de un día para otro quieren pasar tiempo a solas escuchando música, y lo último que están dispuestos a tolerar es que papá o mamá entren sin anunciarse. Incluso sus hermanos se llevarán un buen rapapolvo si lo hacen, aunque siempre tolerará mejor tu presencia que la de ellos.

Es aconsejable llamar a la puerta y pedir permiso para entrar. Espera una respuesta. El mero hecho de haber llamado no significa que puedas abrir la puerta y entrar. Habitualmente responderá: «Sí», o «Espera un momento». Si la respuesta es «No» y necesitas hablar con él, pre-

Respeta su intimidad.

gúntale si puede acercarse a la puerta, entreabrirla y decirle lo que sea conveniente. No empieces a lamentarte: «¿Qué estás haciendo ahí dentro que no pueda ver?» o «Por qué no puedo entrar?». Tú has preguntado; respeta la respuesta. En cualquier caso, si hueles a humo , indícale que debe salir de su cuarto para hablar cinco minutos en privado.

Procura que todos sus hermanos conozcan esta regla familiar y que la obedezcan. Y, por supuesto, deberías esperar la misma cortesía en el caso de que cualquiera de tus hijos quiera entrar en tu dormitorio.

> **Sam:** «Puede ser un verdadero problema. Los adolescentes queremos intimidad. Tengo muchos amigos que discuten acaloradamente con sus padres cuando entran en su habitación sin anunciarse o sin llamar a la puerta. Es una absoluta falta de respeto y tienes la impresión de que tus padres no confían en ti. Es una causa de enfrentamientos del todo innecesaria».

Diarios

A menudo las chicas llevan un diario en el que anotan aquellos sentimientos que no desean compartir con nadie, incluyendo sus padres, independientemente de lo estrecha o distante que sea su relación con ellos en el seno familiar. Los padres nunca deberían leerlo por muy tentados que se sientan a hacerlo. Podrían enterarse de cosas que escribió en un momento de estrés que los alarmara lo suficiente como para dirigirse inmediatamente a ella para pedirle explicaciones y saber más para intentar ayudarla. Si lo lees, enseguida se dará cuenta de que lo has estado haciendo, e independientemente de las voces y discusiones que sin duda seguirán, la confianza entre los padres y su hija quedará interrumpida. A partir de este momento, esconderá su diario y se mostrará más reservada que de costumbre.

Fran: «Una vez mi madre leyó mi diario, y para empeorar aún más las cosas, hizo algunos comentarios delante de mis amigos. Invadió mi intimidad y me molestó».

Cómo comportarse con los amigos

Cómo debería comportarse tu hijo adolescente con sus amigos

Llegado la adolescencia, las buenas maneras y el buen comportamiento deberían ser una parte esencial en la vida de tu hijo.

Si está sentado delante del televisor o trabajando en el ordenador y entras para presentarle a alguien a quien desconoce, debería interrumpir su tarea, levantarse, estrecharle la mano y presentarse. Es probable que comentes algo referente al visitante que pueda aprovechar para hacer una pregunta de interés. Si se trata de un amigo de la familia, también debería dejar lo que estaba haciendo, ponerse en pie y estrecharle la mano o darle un beso, haciendo un esfuerzo para preguntarse qué tal está o si ha disfrutado de unas buenas vacaciones en la playa.

En caso de que no tengan nada que preguntar, es un signo de buena educación y respeto que chicos y chicas por un igual ayuden al invitado a quitarse el abrigo, tanto si se trata de una dama como de un caballero.

Si recibes la visita de un amigo de la familia y tus padres no están en casa, tu hijo debería preguntarle si desea tomar un refresco o una taza de café, y conversar con él hasta su llegada; nunca dejarlo a solas mientras se sienta de nuevo en el sofá para seguir viendo la televisión.

Explícale lo importante que es mostrar interés en la persona con la que se está hablando en lugar de hablar de uno mismo. También vale la pena mencionar que en las fiestas, por muy aburrida que sea la persona con la que está conversando, debe mantener el contacto visual en lugar de desviar la mirada en busca de algo o alguien más interesante. Para «librarse» del «tedio de la fiesta», en la que habitualmente es el invitado quien no tiene nada que decir o que sólo habla de sí mismo o de su encantadora mascota, en lugar de marcharte y dejarlo solo, debería decir muy cortésmente y con una sonrisa lo interesante que ha sido conversar con él y que espera verle de nuevo más tarde, ¡sin añadir claro está que sería preferible que fuera a distancia!

Cómo debe respetar el adolescente a sus amigos

Ningún momento es más importante que la adolescencia para que tu hijo tenga amigos. Los iguales ejercen una extraordinaria influencia mutua. Están a medio camino entre el hogar familiar y la plena independencia y la sustitución de los padres en muchas áreas de su vida. Lo comentan todo con ellos y buscan su aprobación, apoyo y lealtad. Los adolescentes suelen pensar igual y sentir igual, y comprenden por lo que están pasando los demás. Los amigos no se enjuician como lo hacen algunos padres, sino que se aceptan tal cual son. Los adolescentes necesitan a alguien con quien compartir sus pensamientos, sentimientos y ansiedades más recónditos.

Los chicos de trece y catorce años desean la popularidad y la aceptación en su círculo de amistades más que nada en el mundo. Las relaciones de las chicas con sus novios son muy emocionales, y ésta es la razón por la que pueden convertirse en personas desagradables y celosas. En cualquier caso esta etapa suele concluir a los quince o dieciséis años, cuando entablan relaciones más relajadas y respetuosas.

Si tu hijo adolescente parece preocupado por uno de sus amigos, ofrécele una posibilidad de diálogo y consejo. Y si sospechas que ese amigo tiene algún problema con las drogas o el alcohol, sugiérele formas en las que podría ayudarlo, recordándole que ignorar la cuestión es contraproducente.

Los adolescentes tienden a ser muy leales los unos con los otros, pero si tu hijo empieza a quejarse de alguien en particular, intenta averiguar cuál es la causa de que esa persona se comporte de este modo. Después de todo, van a tener toda una vida por delante de encuentros, de manera que hablar de por qué muchas veces la gente actúa de una forma inadecuada es interesante, y en ocasiones incluso intrigante.

Cómo deberías comportante con sus amigos

Aunque los adolescentes puedan decir que los padres de sus amigos son «tan amables», «tan comprensivos», «tan tolerantes» o «geniales», o que sus madres incluso se visten con «ropa juvenil» para parecer eternamente jóvenes, lo que tu hijo desea en realidad es que sus propios padres sean «normales». «Normal» significa llevar prendas de vestir ni demasiado a la moda ni excesivamente juveniles. Asimismo, en el lenguaje ordinario, «normal» tampoco equivale a intentar hablar con sus amigos en su jerga coloquial para dar la sensación de estar en la onda.

Trata a los amigos de tu hijo con respeto, sé educado y muéstrate amable, no hagas comentarios embarazosos ni los critiques, y no reveles ningún tipo de información que pueda haberte confiado acerca de ellos o formules preguntas que puedan avergonzarlo delante del grupo.

Procura no mencionar a sus amigos ningún incidente relacionado con ellos, su conducta o cualquier cosa que hayan dicho otras personas. También es desaconsejable exponerlo delante de sus amigos, diciendo por ejemplo: «Me gustaría que me hablarais de Luis; no consigue entenderlo» o «No alcanzo a comprender por qué Luis no puede llevar el pelo corto como tú en lugar de esa melena que le cae por la cara». Comentarios de este tipo no sólo disgustarán a tu hijo, sino que también pondrán a sus amigos en una situación comprometida.

Tienes que ganarte la confianza de tu hijo adolescente, demostrarle que puedes estar con sus amigos y que nada de lo que hagas o digas lo pondrá en entredicho. Por otro lado, no te sorprendas cuando no quiera que lo vean contigo en público. No es nada personal.

De adolescente, una buena amiga mía estaba muy deprimida porque su novio la había dejado. Bastaba mencionar su nombre para que se echara a llorar desconsoladamente. Un día que vino a casa para cenar, advertí a mis padres que no le comentaran nada y que hablaran de otras cosas. Los dos me aseguraron que no lo mencionarían. Pero nada más llegar, lo primero que dijo mi padre fue: «Hola Elena, me han contado que te sientes deprimida. ¿Te ha ocurrido algo?».

En otra ocasión, cuando tenía dieciséis años, un chico al que había perseguido incansablemente durante meses finalmente me pidió que bailáramos en una discoteca y luego me acompañó hasta mi casa en coche. Al llegar se inclinó y me besó suavemente. Llevaba una eternidad esperando aquel momento. De pronto, papá empezó a hacer flashes con la luz del porche y luego apareció enfundado en su pijama obligándome a entrar inmediatamente en casa. Me sentí tan avergonzada que quería morirme. Pasé a su lado como una exhalación. Su expresión era de asombro, como preguntándose «¿Por qué se habrá enojado?». ¡Padres!

Cuando los amigos de tu hijo están en casa

Si haces todo cuanto está en tus manos para mantener una buena relación con tu hijo adolescente, será más probable que los invite a casa. Anímalo a que lo haga para tener la ocasión de conocerlos. Una vez en casa, sabrás exactamente dónde está y con quién está (¡dos preocupaciones menos!).

Sin embargo, no te extrañe que al sugerírselo por primera vez se muestre hasta cierto punto vacilante. No quiere que lo avergüences, pero tampoco mostrarse brusco y desagradecido. Háblalo con él. En cualquier caso no olvides que estás en tu casa y que éste es tu dominio, y que, por lo tanto, cuando invite a sus amigos habrá unas reglas que cumplir.

Explícale lo que esperas de ellos, como por ejemplo que dejen las chaquetas en el perchero del recibidor y que deseas conocerlos, de manera que antes de esfumarse en el cuarto de tu hijo deberían pasar por la sala para las presentaciones. Dile que no tolerarás el lenguaje soez, lo cual debería ser una advertencia más que suficiente como para que procurara mantenerlos bajo control.

TELEVISIÓN Y ENTRETENIMIENTO

Tanto si van a ver la televisión como a pasar un rato entretenido escuchando música, acomódalos en una habitación en la que puedan gozar de intimidad, tal vez el dormitorio de tu hijo si es lo bastante espacioso o, si te sientes generoso, el salón. Si van a reunirse en el dormitorio, ayuda a tu hijo a recoger la ropa del suelo y a colocar unos cuantos cojines o almohadas extra para que se sientan más cómodos.

Asegúrale que por nada del mundo van a irrumpir en la habitación, y que en el supuesto caso de que tenga que decirles algo, llamarás a la puerta y esperarás, de manera que bajo ninguna circunstancia deberá cerrarla con llave. Coméntale a qué volumen pueden tener la música para que la convivencia familiar no resulte afectada. Explícale asimismo que también van a venir algunos amiguitos de sus hermanos pequeños y que pueden saludarlos, pero que te encargarás personalmente de que no importunen. Incluso podrías sugerirle organizar alguna actividad colectiva.

COMIDA Y BEBIDA

Procura que haya en casa un buen suministro de pizza, sándwiches, patatas fritas y refrescos.

Dependiendo de su edad, tal vez quieras ofrecerles cerveza con o sin alcohol. Si van a necesitar platos, vasos o jarras en la habitación, pide a tu hijo que lo dejen en el fregadero de la cocina o en el lavavajillas antes de marcharse. Comprueba que la papelera está vacía y responsabilízalo de que todos depositan en ella las latas vacías y el envoltorio de los sándwiches. Recuerda que estás en tu casa y que puedes prohibir, si lo crees oportuno, el consumo de tabaco o alcohol tanto en la habitación como en el patio o el jardín.

Cuando los amigos de tu hijo lleguen a la casa y te saluden, estréchales la mano y dales una cordial bienvenida, evitando a toda costa decir algo que pudiera avergonzarlo. De lo contrario, ten por seguro de que no volverá a invitarlos nunca más.

Si por cualquier motivo te disgusta algo de lo que está ocurriendo en casa, como por ejemplo, que la música está a un volumen mucho más alto del acordado o utilizan un lenguaje malsonante, llama a la puerta y dile a tu hijo que salga un minuto. Luego explícale el problema y pídele que actúe en consecuencia. Una vez más, ni siquiera en estos casos debes irrumpir sin más en la habitación y apagar el equipo de música o el televisor delante de todos.

No olvides el consabido «Adiós» con una sonrisa. Con toda probabilidad te darán las gracias. No digas nunca cosas tales como «Espero que haya sido divertido. Luis estaba preocupado por la forma en que nos comportaríamos con vosotros, pero ahora ya sabéis que no somos tan malos como él imaginaba. Nos veremos otro día». «Adiós, ha sido un placer» bastará.

Cómo debería comportarse en casa de sus amigos

Independientemente de cómo se comporten en tu casa los amigos de tu hijo, es natural que te preocupe cómo actuará él en su casa. Es curioso, pero incluso los niños bastante más pequeños, si se los ha educado correctamente en casa, se comportarán extremadamente bien en casa de los demás. Aun así, como en la mayoría de las áreas de su vida, los adolescentes deberían asumir una mayor responsabilidad. Al llegar, por ejemplo, hacer un esfuerzo por saludar a los padres, estrecharles la mano y preguntarles cómo están. Si uno está ausente, regresa más tarde y acude a saludarte cuando estás sentado, deberían levantarse y darle un apretón de manos.

Si han invitado a cenar a tu hijo, recuérdale las buenas maneras en la mesa y sugiérele que colabore a retirar la mesa y que se ofrezca a fregar los cacharros. Siempre le dirán que no hace falta, pero en cualquier caso agradecerán el detalle. Y si va a pasar la noche en casa de un amigo, recuérdale que a la mañana siguiente deberá hacer la cama o dejar las sábanas al pie.

Ni que decir tiene que debe dar las gracias a los anfitriones y, dependiendo de la situación, enviarles una nota o carta de agradecimiento.

Fiestas para los de trece a quince años

Suelen ser las edades en las que los adolescentes son más difíciles de complacer. Los chicos de dieciséis años en adelante quieren alcohol, música y la compañía del sexo opuesto. Pues bien, la inmensa mayoría de los de trece a quince quieren exactamente lo mismo, pero por razones legales o de moralidad no les está permitido. Así pues, es necesario buscar una alternativa. También están en la edad en la que desean invitar a toda la clase, lo cual, y te lo digo por experiencia, no es una buena idea. Un grupo reducido es más manejable. De manera que, a menos que a tu hijo se le ocurra una idea razonable, hazle algunas sugerencias. Por ejemplo, invitar a seis amigos al cine, una cena en la pizzería o el restaurante de comida rápida y dormir en casa. La decisión dependerá de la capacidad de tolerancia de tu sistema nervioso y el tamaño de la casa. Si estás de acuerdo, sienta tus principios: los chicos en una habitación y la chicas en otra. Como la persona que va a acoger en casa a un grupo mixto tienes la responsabilidad delante de los demás padres de evitar el riesgo de exposición de sus hijos a las relaciones sexuales.

Fiestas para los de dieciséis años en adelante

Es inevitable. Llegará el día en que oigas aquellas palabras que siempre habías temido oír: «¿Puedo invitar a mis amigos a una fiesta?». De inmediato te viene a la cabeza un sinfín de cosas: van a quemar los muebles con los cigarrillos, harán pedazos la tapicería, estropearán el equipo de música, romperán un montón de discos, lo pondrán todo perdido de restos de sándwich, derramarán la cerveza, vomitarán en el suelo, romperán la taza del inodoro y alguien avisará a la policía por perturbar el orden público. De manera que antes de dejarte llevar por el impulso y responder «¡Ni hablar! ¿Crees que estamos locos?», pulsa el botón de «stop», inspira y espira profundamente un par de veces, cuenta hasta diez y sugiérele hablar del tema.

CONDICIONES PARA UNA FIESTA ADOLESCENTE SATISFACTORIA

1. Ante todo, deben limpiarlo todo una vez finalizada la fiesta o volver al día siguiente para encargarse de ello. Si tu hijo no acepta esta condición, punto final a la negociación.
2. Procura que los invitados no sean muy numerosos en su primera fiesta. Entre doce y quince está bien. Si quiere invitar a algunos más, explícale que si esta vez todo marcha sobre ruedas, la próxima vez podrán ser más.

3. Para evitar presencias inesperadas, aconséjale que invite a sus amigos por teléfono la misma tarde y que les pida que no corran la voz. De lo contrario, suspenderás la fiesta.

4. Comida y refrescos. Es todo. Nada de alcohol. Las alternativas son infinitas, desde sándwiches de jamón y queso o pizza, hasta galletas, patatas fritas y aperitivos o cuencos de comida china o india, o una gran fiesta de espaguetis a la carbonara para todos.

5. Dependiendo de la edad, podrías considerar la inclusión de un poco de alcohol o cerveza, o bien optar por cerveza sin alcohol, sidra, refrescos y botellines de agua.

6. Si quieres decorar la casa con velas, ponlas en farolillos para evitar que se caigan.

7. Decide un volumen razonable de la música que no moleste a los vecinos.

8. Avisa a los vecinos de que vas a organizar una fiesta.

9. Si los vecinos son buenos amigos, podrías invitarlos a cenar.

10. Procura que los hermanos pequeños estén entretenidos con sus amiguitos.

11. Por desgracia, es un hecho que muchos adolescentes fuman. Prohíbelo o habilita una zona para fumar, a ser posible en el patio o el jardín, y asegúrate de tener a mano una buena provisión de ceniceros. Es una buena idea destinar una habitación, como por ejemplo la cocina, como espacio reservado a fumadores.

12. Para el supuesto caso de que alguno de los presentes se excediera un poco con el alcohol y acabara vomitando, enséñale a tu hijo dónde está el cubo, la fregona, los guantes de látex, las toallitas de papel y las bayetas para limpiar el suelo.

13. Establece claramente la hora de comienzo de la fiesta y aquella en la que esperas que todo el mundo se haya marchado.

14. Si algunos de sus amigos van a dormir en casa, compra cuanto sea necesario para el desayuno antes de que empiecen a limpiar la casa.

15. Si lo han pasado bien y todo ha marchado según lo acordado, felicítalos.

Precaución: ¡sólo invitados!

Sam: «Por muy pesado que sea limpiar después de una fiesta, merece la pena porque luego te dejan organizar más fiestas. Mamá es genial. Nos repartimos las tareas. Yo me encargo de preparar algunas cosas y ella de que todo esté a punto. Mis amigos la adoran por su interés en que todos pasemos un buen rato y no les importa ayudarla a limpiar al día siguiente».

4

Apoyo

Alimentación y dieta

Nuestra cultura culinaria ha cambiado considerablemente desde hace incluso una sola generación. En muchos hogares, la costumbre de comer alrededor de la mesa con la familia ha sido sustituida por la comida rápida, los *take away* y los alimentos procesados, casi siempre a solas delante del televisor. Quienes salen peor parados por estos nuevos usos sociales son los niños.

Durante la adolescencia observarás innumerables cambios en los hábitos alimentarios de tu hijo. Las causas son diversas, y cuanto mejor las comprendas, más fácil te resultará velar por su salud. Convencerlo de que se atenga a una dieta sana puede ser algo así como darse de golpes contra la pared, aunque tengo que decirte por mi propia experiencia que no es imposible.

Dale un buen ejemplo. Es absurdo que te sientes a menudo delante de un plato de pizza y patatas fritas y que luego esperes que te haga caso cuando le digas que debería seguir una dieta sana. Si preparas siempre comida sana, por muy simple que sea, se acostumbrará. Ni que decir tiene que preferirá algunos alimentos más que otros, es normal, pero por ejemplo, si no le gusta el pescado, tal vez le parezca bien en forma de pastel.

Organiza almuerzos y cenas familiares tan a menudo como sea posible, preparando platos que gusten a todos, tales como un buen asado, chuletas de cordero con patatas al horno o ensalada de atún con patata cocida. Si no sabes cómo preparar comidas sanas fáciles y rápidas, consulta un recetario al uso.

Sugiere a tus hijos que te acompañen alguna vez al supermercado. Tal vez descubran algo que les gustaría probar. Despertar el interés de los niños en la selección de los alimentos constituye el primer paso para una vida sana.

Alimentación y comportamiento

Los cambios en el estado de ánimo, la falta de concentración, el escaso rendimiento intelectual y el comportamiento negativo pueden estar relacionados con una dieta deficiente.

Estudios recientes indican que la alimentación no sólo afecta al comportamiento de los niños pequeños. En el año 2002, *The British Journal of Psychiatry* publicó los resultados de una investigación en un test controlado en el que participaron 230 jóvenes delincuentes. La mitad recibieron complementos vitamínicos, minerales y ácidos grasos esenciales, y la otra mitad placebos. El primer grupo cometió un 40% menos de delitos violentos que el segundo, cuyo índice de criminalidad sólo descendió en un 25%. Bernard Gesch, veterano científico investigador en fisiología en la Universidad de Oxford, señala que los nutrientes son vitales en los procesos bioquímicos que producen serotonina y dopamina, neurotransmisores conocidos por su incidencia en el estado de ánimo.

Los dulces saturados de azúcar, aperitivos y bebidas pueden alterar las pautas bioquímicas normales, ocasionando comportamientos antisociales graves. Asimismo, los productos elaborados a base de harina blanca también se transforman en azúcar puro; los resultados son idénticos.

Los alimentos ricos en grasas o en azúcar pueden provocar un sentimiento de profundo abatimiento en la persona. Las escuelas que disponían de máquinas expendedoras de dulces y los han remplazado por fruta observaron que los niños eran más capaces de concentrarse y su actitud era más positiva.

Pautas de alimentación en la adolescencia

Seguro que en más de una ocasión te has asombrado ante la cantidad de alimentos que es capaz de comer tu hijo cada día. «¿Adónde va a parar todo esto?», sin duda te preguntarás. No te preocupes, «picotear» constantemente entre comidas es bastante normal. Aunque sólo haya transcurrido media hora desde del almuerzo o la cena y te suplique «algo más de comer» porque está «muerto de hambre», es muy probable que así sea y, a menos que observes un desmedido aumento de peso, no le des más importancia.

Si adviertes que el apetito de tu hija empieza a menguar, puede ser debido a que aquella pauta ha llegado a su fin, y no necesariamente que le preocupe su aspecto físico y quiera adelgazar (véase Trastornos en la alimentación, p. 191).

Prestarles ayuda

Llena el frigorífico de alimentos y aperitivos sanos, bajos en grasas y en azúcar. Son ideales los cereales (no los chocolateados, ricos en sal o azucarados), el pan integral, queso, jamón en dulce, pollo asado, fruta fresca, frutos secos, yogur, helado (comprueba la composición; debería contener leche, huevos, nata y aromatizantes; te asombraría la cantidad de helados que no incluyen estos ingredientes), patatas fritas y aperitivos bajos en grasas, zanahorias, tomates cherry y pepino acompañado de hummus. Procura evitar los alimentos excesivamente procesados.

Aspecto personal

Desafortunadamente, miremos donde miremos, una infinidad de chicos y chicas lucen cuerpos, a nuestro entender rayando la «irrealidad», en las vallas publicitarias, la televisión y las películas. El resultado es nefasto. Nos deprimimos. Asimismo nuestros hijos adolescen-

tes quieren emular a sus ídolos: los chicos sueñan con una musculatura escultural y las chicas con una talla 34 (equivalente a una 8 en los países anglosajones) e implantes de pecho. Es una locura, pero aunque triste es reconocerlo, éste es el nuevo estilo imperante y no es previsible que cambie en un futuro próximo. El problema de los padres es cómo animar a sus hijos a comer con un sólo objetivo: su salud presente y futura, y ayudarlos a sentirse satisfechos con su cuerpo.

Cómo ayudarlos

Para fomentar este objetivo de salud es ante todo fundamental potenciar su grado de autoestima. Mencionar a menudo términos tales como «gordo», «obesidad» o «sobrepeso» en referencia a sus hijos podría propiciar una rápida decisión de ponerse a régimen para adelgazar y provocar trastornos graves en la alimentación.

Explica a tu adolescente que el cuerpo de cada persona se desarrolla en momentos diferentes y ponle el ejemplo de alguien que conozca y admire. Debe comprender que incluso en la edad adulta el cuerpo puede experimentar cambios, en especial después de un parto. En efecto, mujeres que apenas tenían busto, pueden usar ahora una talla 100-110 de sujetador (D en los países anglosajones) y viceversa. Insiste, pero de forma muy especial, en los problemas (seguro que has oído hablar de ello o incluso has leído algún libro sobre el particular) que han tenido sus «modelos de rol» a causa de su supuestamente «fantástica» figura. Las chicas parecen preocuparse más que los chicos, que prefieren una chica con formas antes que otra extremadamente delgada.

Aprovecha la menor ocasión para elogiar el aspecto de tu hija adolescente, sobre todo sus hermosos rasgos físicos, su precioso pelo, sus maravillosos ojos verdes y sus deliciosas piernas. Nunca la critiques. Si se queja de su cintura ancha, dile: «¿Y quién va a mirarte la cintura con estas piernas tan estupendas que tienes?». Desengañémonos, nadie es perfecto. En realidad, distamos mucho de serlo. Quien más quien menos tiene un rasgo del que no se siente precisamente orgulloso y otros que compensan el «desastre»: brazos cortos y rollizos pero una buena dentadura; sin cuello pero una encantadora sonrisa; caderas abultadas pero unos dedos largos y finos, etc. Tu adolescente necesita que lo valoren por sus extraordinarios atributos.

Haz hincapié, asimismo, y elogia otras cualidades diferentes de su aspecto físico. Quizá tenga dotes artísticas, musicales, amigos leales, sepa escuchar o sea buen conversador. Si potencias así su autoestima lo ayudarás a concentrarse menos en su aspecto.

Insiste en las cenas familiares en torno a la mesa, a ser posible tres noches por semana. Prepara comida sana.

Dieta sana

Desayuno: Sustituye los cereales azucarados o ricos en sal por cualquiera de las opciones siguientes: cereales bajos en sal o sin azúcar; huevos duros o revueltos y tostadas, fruta, leche desnatada o yogur y miel o azúcar moreno; batidos de leche o de yogur y frutas, si es posible con germen de trigo o fibra; beicon a la plancha y tomates; judías hervidas o fríjoles con tostadas; plátanos y mermelada de buena calidad.

Almuerzo: Los almuerzos escolares han sido siempre mi *bête noire*. ¿Por qué insiste continuamente el gobierno en el alarmante peligro que supone la obesidad infantil pero destina un presupuesto tan escaso a las escuelas de manera que no tienen otro remedio que servir patatas fritas, hamburguesas y pizza? No me cabe en la cabeza.

Afortunadamente, algunos centros ofrecen una opción dietética: se puede elegir un menú de comida sana (bistec a la plancha, verduras, yogur, etc.), limitando las hamburguesas y patatas fritas a una vez por semana. Explica a tu hijo que las hamburguesas, pizza y patatas fritas contienen niveles muy elevados de grasas y que provocan pesadez de estómago y somnolencia durante la tarde, perjudicando la capacidad de concentración.

Almuerzos preparados en casa: Pan integral o pan de pitta de trigo integral, ensalada de pasta, queso, fruta, frutos secos, yogur y un botellín de agua.

Cena: Carne asada o al grill, pescado o pollo, huevos, patatas asadas, verduras y hortalizas frescas, ensaladas variadas, pasta, arroz, quedo y yogur o fruta de postre. Leche, agua o zumos de fruta sin azúcar añadido.

Saltarse comidas

Ayuda

No dejes salir de casa a tu hijo sin desayunar; es una de las comidas más importantes del día. El desayuno debería ser rico en proteínas para «poner en marcha» el cerebro e hidratos de carbono para liberarlas lentamente a lo largo de la mañana.

A menudo, los adolescentes dicen que no tienen apetito y se saltan una comida. Si comen con regularidad y no parece que estén tratando de perder peso, no hay de qué preocuparse. Simplemente no les apetece comer. Sin embargo, si has pasado la mañana cocinando para toda la familia y en el último minuto tu hijo decide que no va a comer, acéptalo, pero sugiérele que se siente a la mesa con los demás. Muy probablemente, una vez sentado y con los platos servidos, le apetezca comer algo. No hagas comentarios. Déjale hacer y date por satisfecha.

Si también en el último minuto dice que no va a cenar y que no puede sentarse a la mesa porque va a salir, recuérdale que es una falta de consideración no habértelo comunicado antes. Acéptalo por esta vez, pero dile que en el futuro deberá informarte como mínimo una hora antes de la cena, además de pedir permiso para marcharse, o no tendrá otro remedio que sentarse a la mesa y salir, si se le ha autorizado a hacerlo, cuando los demás hayan terminado de cenar, aun en el caso de que haya decidido no comer.

Si sospechas que está saltando comidas para adelgazar, explícale que lo conseguirá más deprisa comiendo alimentos bajos en grasas que tú mismo puedes prepararle. Dile que no comer equivale simplemente a engañar al cuerpo y que los efectos son los contrarios a los deseados: al detectar la ausencia de alimentos y no saber cuándo recibirá la siguiente ingesta, retendrá automáticamente las grasas acumuladas.

Cambio en la dieta

A medida que los niños van madurando, sus gustos cambian, y poco a poco se muestran predispuestos a probar nuevas texturas y sabores. Tal vez haya leído algo acerca de un determinado alimento en alguna revista, lo anuncien en televisión, lo haya probado en casa de un amigo o lo comía su actor o actriz de cine favorito en una película.

En ocasiones, los adolescentes, en su búsqueda de la independencia e individualidad, también pueden cambiar radicalmente su dieta simplemente para demostrar que imponen su criterio en todo cuanto hacen.

Ayuda

Si tu hija te pide probar algo nuevo, como por ejemplo, cuscús de cordero, en lugar de desechar la idea inmediatamente, «¿Cuscús de cordero? ¿Viniendo de una chica que pensaba que una pizza "capricciosa" era una delicia digna de todo un *gourmet*? No te gustará», anímala a probarlo.

Muchos adolescentes llegan un día a casa y dicen: «Me he vuelto vegetariano». Si tu hijo ha tomado esta decisión, no te burles de él recordándole la cantidad de vaca que se habrá comido en forma de hamburguesa las dos últimas semanas o «Si crees que voy a cocinar diferentes menús cada noche, estás muy equivocado», respeta su decisión e interésate por lo que querrá comer y si ha reflexionado acerca de lo que supone cambiar de dieta. Explícale que para que los menús sean más atractivos y variados tal vez le guste cocinar él mismo algunas recetas mientras tú te ocupas del menú familiar. Demuéstrale que estás dispuesta a aceptar sus nuevos hábitos alimentarios sugiriéndole que incluso la familia al completo podría prescindir de la carne un par de comidas a la semana, una opción muy sana por cierto. Cómprale un recetario de cocina vegetariana.

A medida que los adolescentes van haciéndose mayores es posible que tengan la oportunidad de saborear alimentos más «sofisticados» en casa de sus amigos y sorprender luego a sus padres pidiendo lo mismo. Tanto si se trata de aguacate, peras al horno, salmón ahumado, mejillones o pasta con chili, dile lo satisfecho que estás de que haya encontrado nuevos sabores de su agrado y sugiérele preparar algún menú especial para toda la familia.

Una vez que tu hijo haya empezado a experimentar con nuevos sabores y nuevos platos, podrías organizar una cena en un restaurante, dejando a los hermanos pequeños en casa en compañía de alguien que pueda cuidarlos. Está creciendo; trátalo como lo que es: un adulto en potencia.

Comer para sentirse mejor

A todos nos ha pasado alguna vez. Nos sentimos deprimidos y sin ganas de hacer nada, y lo primero que se nos ocurre es ir a la cocina en busca de aquella caja de galletas que guarda mamá y atiborrarnos hasta reventar. Evita a toda costa darle aperitivos a modo de consolación y para que se siente mejor cuando está disgustado o deprimido. Aconséjale algunos cambios en su rutina diaria, como por ejemplo dar un paseo largo antes de la cena o hacer cualquier otro tipo de ejercicio, cuando esté en horas bajas y se sienta alicaído. El aire fresco y el ejercicio surtirán un efecto inmediato.

Ejercicio

Cambios en el aspecto físico

«Gracias» a la permanente exposición a que nos someten los medios de comunicación idealizando cuerpos de hombres y mujeres supuestamente perfectos, casi todas las chicas adolescentes y también algunos chicos están preocupados por el peso. Dile a tu hijo que es normal engordar un poco y experimentar cambios físicos en la pubertad. Sugiérele una dieta sana y un programa de ejercicio físico, y ayúdalo a conseguirlo teniendo siempre en casa un buen suministro de fruta fresca y aperitivos bajos en grasas y azúcar.

Muéstrate invariablemente satisfecho de su aspecto físico y elogia su belleza natural. No comentes nunca que ha engordado; es la fórmula infalible para empezar con trastornos de la alimentación. Si crees que está ganando más peso del que debería, ofrécele una cena sana baja en calorías y evita los alimentos ricos en grasas y los aperitivos ricos en azúcar en casa. Sobrarán las palabras. Apreciará tu esfuerzo y comprensión. Caminar con brío es uno de los mejores ejercicios que puede hacer. Podría empezar yendo y viniendo de la escuela a pie. Pregúntale si le gustaría apuntarse a un gimnasio o hacer *jogging*.

Si tu hijo siempre ha practicado algún deporte en la escuela, podría darse el caso de que, llegada la adolescencia, decidiera dejarlo. Coméntale que aunque nada puedes hacer para cambiar su opinión, «el equipo notará tu ausencia; piénsalo bien».

Nuevas actividades

Es recomendable animar a los adolescentes a que practiquen nuevos deportes o actividades. Las artes marciales son ideales para ejercitar el cuerpo y también como autodefensa para ambos sexos, al igual que el *kick boxing*. A tu hija podría interesarle acompañarte a una clase en el gimnasio Pilates que sueles frecuentar. Busca nuevas posibilidades en el periódico local o internet, pero recuerda que sólo debes sugerir. Cuanto más presiones a un adolescente, menos predispuesto se mostrará a seguir tus consejos.

Cuestiones relacionadas con la salud del adolescente

Menstruación

Cuando tu hija empiece con la menstruación, es probable que sufra el síndrome premenstrual (SPM). Casi todas las mujeres lo experimentan o han experimentado alguna vez. Estate preparada y trátala con mucho cariño. Es posible que ni siquiera sepa lo que le está ocurriendo y por qué se siente mal. Explícaselo y dile que no está sola.

Si el período es doloroso, procura tener siempre a mano analgésicos, prepárale bolsas de agua caliente y hazle masajes en la espalda. Le aliviará.

Acné

En una sociedad que nos enseña la importancia del aspecto físico, el acné puede influir muy seriamente en el temperamento del adolescente, minando la autoestima y la seguridad en sí mismo. A menudo se vuelven introvertidos e incluso desarrollan una depresión. Si es el caso de tu hijo, lo primero que debes hacer para ayudarlo es explicárselo para que lo comprenda. Dile que el 85% de los adolescentes tienen acné, que aparece en las primeras etapas de la pubertad, cuando el organismo empieza a producir un tipo de hormonas llamadas andrógenos. En los chicos la producción suele ser mayor. De ahí que sea más frecuente y más grave en ellos este trastorno.

El mito de que la dieta, especialmente el chocolate y los alimentos grasos, causa acné es infundado, aunque algunos estudios han demostrado que el pan contribuye a su desarrollo. Algunos científicos norteamericanos creen que los cereales integrales y el azúcar refinado en el pan pueden disparar los niveles de insulina, y diferentes investigaciones han demostrado que un exceso de insulina puede provocar acné. Los estimulantes también agravan este trastorno cutáneo. Aconseja a tu hijo que no tome alcohol, cafeína, frutos secos y marisco.

Tan pronto como aparezcan los primeros síntomas de acné, lleva a tu hijo al médico. Hay tratamientos bastante eficaces.

Ayuda

No ignores ni te muestres indiferente si tu hijo está preocupado por el acné. No te recomiendo abordar la cuestión con un «¡Oh! No te preocupes, todo el mundo lo tiene». Le trae sin cuidado «todo el mundo». Lo que le importa es cuánto afea su aspecto.

Potencia constantemente su autoestima diciéndole que nadie se preocupará por unos cuantos granitos, «Te aprecian por quién eres, eso es lo verdaderamente importante. Tus amigos no te dejarán a un lado a causa de unos cuantos efectos secundarios hormonales». Cómprale una crema dermatológica colorante para camuflar los granos, incluso si tu hijo es varón. Luego, si alguien en la escuela dice «¡Vaya!, ¡llevas maquillaje!», siempre puede responder, haciendo honor a la verdad, que se trata de un fármaco. También podrías sugerir a tu hija cambiar el estilo de peinado; ten por seguro que con un buen corte de pelo o un rizado en una frondosa melena llamará la atención y se verá más guapa.

Qué puede hacer el adolescente

Debería lavarse la cara dos veces al día con un jabón neutro, evitando los productos con elevadas concentraciones de alcohol. Los jabones que contienen peróxido de benzoilo y ácido salicílico son ideales para las pieles grasas, aunque demasiado severos para las secas. También debe evitar frotar demasiado y los productos exfoliantes.

Asimismo, debería lavarse el pelo a diario. Tocar un pelo grasiento y luego la cara empeorará el acné. Aconséjale que no apriete ni reviente los granitos; se inflamarán, extenderán la infección y aumentará el riesgo de cicatrices.

Cambios en el estado de ánimo y depresión en la adolescencia

Los cambios normales en el estado de ánimo del adolescente pueden variar desde una excitación febril hasta el retraimiento e incomunicación durante todo el día. Estos cambios también pueden manifestarse en forma de depresión y enojo. Sí, ya sabes, gritos y portazos a

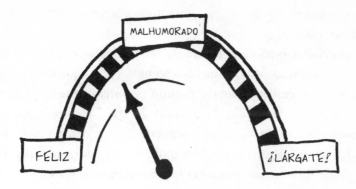

El estado-de-animómetro.

mansalva. La familia suele ser el principal objetivo de los estallidos de agresividad y mal humor, porque al fin y al cabo «¡es evidente que tú tienes la culpa de todo».

Al igual que en otras muchas facetas de la vida del adolescente, mantén la calma y respira hondo antes de reaccionar. Procura pecar por defecto, no por exceso. Contrólate, modera tus palabras. Lo que ocurre es simplemente que, de algún modo, es incapaz de ayudarse a sí mismo, sus trastornos hormonales lo hacen sentirse frustrado, irritable y disgustado, y sabe perfectamente que independientemente de lo que te diga, grite o responda, por muy brusco e irrespetuoso que sea, seguirás queriéndolo. Así pues, si grita, no grites ni caigas en la trampa que te está tendiendo: «¿Quieres discutir conmigo? Llevas las de perder». Deja que se encierre en su cuarto. Transcurridos unos minutos, tal vez pudieras llevarle un refresco como muestra de tolerancia y buena voluntad. Dile que eres consciente de que se siente mal, pero que gritar a los miembros de la familia no es correcto y que lo único que consigue es molestar a sus hermanos pequeños. Dile también que al igual que siempre lo has respetado no levantando la voz, esperas recibir ese mismo trato de su parte. Luego pregúntale si hay algo en particular que lo disguste o preocupe que haya desencadenado tan desagradable situación. Recuérdale que si quiere hablar, estás ahí para escucharlo, y explícale que cuando se habla de un problema, enseguida parece menos grave de lo que parecía.

Las alteraciones en el estado de ánimo hacen la vida muy difícil tanto a los padres como a los adolescentes. Piensa que no durará demasiado. Sin embargo, una depresión persistente que empieza a interferir en la vida familiar normal puede tener su origen en una depresión adolescente más grave y requerir el consejo de un profesional.

Las causas de una depresión adolescente pueden ser muy diversas, desde unas malas relaciones familiares hasta el estrés.

Síntomas de alerta

SENTIMIENTOS DE DESESPERACIÓN Y DESESPERANZA

Con frecuencia los adolescentes se muestran negativos consigo mismos y en relación con su futuro. No se puede evitar. Es así, sin más. Pueden llorar sin motivo aparente. Si tu hijo comenta alguna vez que desearía quitarse la vida o autolesionarse, tómalo muy en serio y no le respondas con indiferencia.

BAJO RENDIMIENTO Y FALTA DE CONCENTRACIÓN

Se puede traducir en una repentina caída en picado de las calificaciones escolares y en la incapacidad para concentrarse; mostrarse reacio a participar en las actividades de la escuela; causar problemas de convivencia con sus compañeros de clase y retraerse en sus relaciones con los amigos y la familia.

Es posible que tu hijo empiece a pasar más tiempo solo en lugar de con el grupo de amigos y que pierda el interés por sus hobbies y aficiones.

BAJO NIVEL DE AUTOESTIMA

Los sentimientos de fracaso y de no ser capaz de cumplir las expectativas paternas son signos inequívocos de un bajo nivel de autoestima, al igual que cambios repentinos en los hábitos de alimentación y/o pautas de sueño.

Por otra parte, dormir durante el día, sentirse incapaz de levantarse para ir a la escuela (más de lo normal) y el insomnio o el sueño intranquilo son signos de depresión. Un cambio súbito en la dieta puede propiciar la aparición de síntomas de un trastorno de la alimentación.

Ayuda

Si observas que cualquiera de estos signos es prolongado, habla en privado con tu hijo. Demuéstrale que cuidas de él tomando en serio sus problemas. Siéntate a su lado, tómale la mano o pásale un brazo por el hombro y háblale. Hazle preguntas de final abierto y escucha lo que tiene que decir.

No presumas nunca de conocer la razón de su depresión; podría tener su causa en un factor singular o en una combinación de factores. La depresión está provocada por desequilibrios químicos en el cerebro y en los niños y adolescentes es mucho más común de lo que se suele pensar.

Potencia su autoestima haciendo hincapié en sus cualidades y en el hecho de que tenga tantos y buenos amigos. Debe comprender que siempre estarás presto a apoyarlo.

Si acabas de divorciarte o ha fallecido un miembro de la familia, habla de ello con tu hijo. Explícale, sobre todo en el caso de divorcio, lo triste que es para cualquier persona una ruptura matrimonial, pero que el amor de sus padres es incondicional. No hables mal de tu ex delante de tu hijo o cuando esté lo bastante cerca como para oír tus comentarios.

Dile que siempre estarás ahí cuando necesite hablar y que no hay nada, por muy embarazoso o terrible que pueda parecer, que no pueda compartir contigo. Incluso seguirás estando a su lado en caso de que simplemente necesite sentarse y abrazarte.

Procura no someterlo a presión esperando que consiga excelentes calificaciones o que sea el mejor de su equipo. Dile que el resultado no es lo más importante, sino esforzarse al máximo para conseguirlo. Recuérdale que tu amor nunca estará asociado a su rendimiento.

No dudes en consultar con un profesional en busca de ayuda si crees que tu hijo la necesita.

Autoestima y valor

Personal

Basta oír el término «autoestima» para que muchos padres echen el grito en el cielo.

Durante años, los libros sobre paternidad recomendaban a los padres sumergir a sus hijos en un baño de elogios y recompensas desde la mañana hasta la noche para potenciar su autoestima, creando una generación de «adictos a la adulación» convencidos erróneamente de que todo cuanto hacían era maravilloso y que nadie podía criticarlos. Eran niños que no mostraban el menor respeto por nada ni por nadie y que solían vivir en una realidad alternativa. Por desgracia, y sin tener culpa de ello, fueron convirtiéndose en adolescentes rudos y desconsiderados, aunque a pesar de todos los pesares y de los denodados intentos de sus padres para evitarlo, se veían abocados a las mismas ansiedades de otros adolescentes. Aun así, es importante potenciar la autoestima y el autorrespeto en la adolescencia. Elogia a tu hijo, pero también critícalo constructivamente cuando sea necesario.

Al llegar a la pubertad, aun en el caso de que el adolescente pueda parecer extrovertido y seguro de sí mismo, la mayoría de ellos acusan una profunda falta de confianza y ansiedad acerca de innumerables cuestiones, desde los cambios que está experimentando su cuerpo hasta saber cuál es su función en el mundo. Así pues, no eches las campanas al aire si tu hijo se muestra altivo, enérgico y arrogante; la falta de confianza es muy habitual en estas edades.

La adolescencia está plagada de cuestiones que minan la autoes-

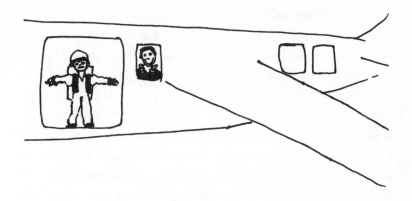

«Solía fascinarme saltar en paracaídas… antes de romperme una pierna…
En cualquier caso, estoy seguro de que te gustará… ¡A saltar!»

tima, desde la aparición del acné, ser rechazado por un novio o una
novia, suspender un examen, quedar fuera del equipo de baloncesto
y el desarrollo del pecho en la mujer. Sólo si mantienes una estrecha
relación con tu hijo serás capaz de descubrir una brecha en su auto-
confianza. Al igual que los niños de tres y cuatro años, los adolescentes pueden comportarse de un modo exhibicionista para superar el
nerviosismo, o hacer de repente algo que consideraríamos una chi-
quillada o una absoluta estupidez para disimular su estado de ansiedad.

La forma de potenciar la autoestima consiste en apoyarlos y elogiar sus cualidades en lugar de criticarlos.

Hasta ahora hemos participado activamente en sus decisiones,
pero cuando el adolescente empieza a elegir y decidir por sí solo
acerca de la ropa, el peinado, la música, los amigos y el estilo de vida
(siempre hasta cierto punto, claro está), es fácil caer en la tentación
de criticarlo constantemente sin la menor consideración.

«No pensarás salir a la calle tal y como vas, ¿verdad?»

«¿No podrías hacer algo con tu pelo?»

«Estos vaqueros son horribles.»

«¡Oh, Dios mío! ¿Te has mirado bien?»

«No me gustan nada esos nuevos amigos tuyos.»

¿Te resulta familiar? Ahí están, intentando desesperadamente ser individuales, combatir los desarreglos hormonales, superar la presión de sus iguales y tratando de encajar, mientras que nosotros nos mostramos absolutamente negativos. Antes de abrir la boca para criticar, deberíamos reflexionar acerca de cómo nos sentiríamos si alguien nos dijera todo esto. Imagina que has pasado una hora arreglándote para una velada muy especial (cualquier encuentro social es importante para los adolescentes, te has probado cinco vestidos, has trabajado denodadamente con el maquillaje, te has peinado a conciencia, y precisamente cuando piensas que tu aspecto es estupendo, incluso antes de cruzar el umbral de la puerta, tu pareja dice en un tono disgustado: «No vas a ponerte esto, ¿verdad? ¡Pareces más gorda!». ¿Te sentirás segura de ti misma? ¿Tendrás una crisis nerviosa? ¿Será una crisis nerviosa agresiva? En cambio, si alguien dice: «Estás muy guapa, pero estarías sensacional con aquel vestido rojo que llevaste la semana pasada». Pensarías, «De acuerdo, me cambiaré y llevaré el vestido rojo, saldré de casa satisfecha y feliz y causaré sensación».

Cuando tenía dieciséis años comenté a mi madre lo preocupada que me sentía a causa de las líneas que estaban apareciendo en mi frente. Me dijo que no me preocupara; me daría una crema hidratante y que era probable que tuviera la piel seca. A mi padre, que lo había oído, no se le ocurrió otra cosa que decir: «Yo, a tu edad, lo solucionaría con un buen gorro. Por cierto, te protegería del frío. ¡Dos pájaros de un tiro!». Estaba convencido de que el chiste tenía gracia. Pobre papá.

Escuela

Tanto si se trata de Primaria, Secundaria, ESO o Bachillerato, la capacidad de someter a exámenes a nuestros jóvenes en los sistemas educativos de la mayoría de los países parece inagotable, precisamente en una época como la nuestra en la que los estudios académicos han caído tan bajo en la lista de prioridades. Las relaciones sentimentales, la música, el pelo y las prendas de vestir son muchísimo, pero muchísimo más importantes y divertidos que la física (aun sabiendo que es verdad), pero ahora ha llegado el momento en el que los adolescentes se ven abocados a tener que enfrentarse a todos aquellos exámenes y pruebas de aptitud.

Y cuando los vemos mirando la televisión o escuchando música en lugar de atacar sin piedad los deberes de matemáticas, nos asalta la preocupación, y es muy fácil, incluso propio de la naturaleza humana, hacer comentarios tales como:

«Mejor harías en estudiar si quieres rendir como mínimo la mitad que tu hermano.»

«Tu amiga Sarah ha ingresado en la orquesta de la escuela. Debe de ser muy buena. Me pregunto por qué a ti no te han aceptado. Llevas años tocando el piano. Pero claro, no practicas lo suficiente.»

«La mamá de Abel me ha dicho que juega en el equipo de fútbol. No sé por qué tú no puedes hacer lo mismo.»

«Tu hermano quiere ser médico. Ya sabemos que no eres tan inteligente como él, pero ¿has pensado en lo que vas a hacer?»

«Tu hermana ha sacado una «A+», cinco «A» y tres «B». Desde luego, al paso que vas, no sacarás nunca estas calificaciones.»

Decimos cosas como éstas con el propósito de motivar a nuestros hijos a que se pongan en marcha de una vez por todas, pero lo cierto es que este tipo de comentarios pueden fácilmente provocar el efecto opuesto y desmotivarlos. A nadie, niño o adulto, le gusta que lo comparen constantemente con alguien mucho más brillante, inteligente o capaz. Algo así como si tu pareja dijera:

«Tu hermana es una excelente cocinera. Pídele la receta de la pasta que ha preparado y quizá podrías probar.»

«Lorena es asombrosa. Triunfa en el trabajo, atiende la casa, sus hijos son excepcionales y prepara cenas fantásticas. ¿Te costaría mucho ser más organizada?»

Comentarios constantes como éstos minarían tu confianza (además de enojarte), al igual que los siguientes harían trizas la de tu pareja:

«¿Por qué a Alejandro lo han ascendido y a ti no? Debe ser muy competente en su trabajo.»

«El vecino me ha contado que desmontó y volvió a montar el carburador de su coche y tú ni siquiera eras capaz de cambiar un neumático.»

Los adolescentes no difieren de los adultos en el disfrute de las palabras de elogio y ánimo, y a medida que se desarrollan y aprenden nuevas habilidades, aquellas palabras los incitan a seguir adelante con más ahínco aún si cabe. También necesitan confianza y seguridad en sí mismos para afrontar nuevas situaciones y desafíos. No todo el mundo es académico; los resultados de los exámenes no deberían ser nunca el banco de pruebas con el que juzgar los éxitos y fracasos.

Si tu hijo se esfuerza en sus estudios pero aun así tiene dificultades, trátalo con amabilidad y haz especial hincapié en sus cualidades:

«Bueno cariño, sé que tienes problemas con las matemáticas, pero es preferible tener tu personalidad que ser un genio del cálculo integral. No encontrarás a muchas chicas entretenidas hablando de logaritmos.»

«Y qué si no tienes un cerebro científico. Eres tan artística, y esto es algo que siempre podrás utilizar, tanto si es tu carrera, decorando tu nuevo apartamento o envolviendo regalos. Tus amigos sabrán valorarlo, no te quepa la menor duda.»

Y respondiendo a sus lamentos de no ser tan inteligente como sus hermanos: «Y qué si tu hermano quiere ser biólogo. Eso es lo que quiere hacer. Lo que tú elijas será igualmente importante y lo harás igualmente bien. Por cierto, te evitarás esa situación tan desagradable de introducir un dedito en el culo de los pacientes».

La baja autoestima es la raíz de muchos problemas en la adolescencia. Enfócalos de un modo responsable y realista.

> **Sam:** «Nunca desmotives o desmoralices a un chico. Tengo un amigo al que sus padres y algunos de sus compañeros critican sin cesar. Asimismo, sus padres lo comparan siempre con su hermano «perfecto». No cree en sí mismo ni en sus posibilidades. Una verdadera lástima.»

Dinero

«¿Acaso crees que son la Fábrica de la Moneda?» «¿Otra vez sin dinero? Pero si fue el martes cuando te di...» ¿Te suena familiar? Sin duda alguna tus padres te lo dijeron también y ahora tú repites la misma cantinela de siempre a tu hijo. No olvides que como padres tenemos la responsabilidad de enseñar a nuestros hijos a ser independientes para que sean capaces de aventurarse en el mundo equipados con la mayor cantidad posible de habilidades en la vida, de manera que darle dinero cada vez que se queda sin blanca es extremadamente irresponsable.

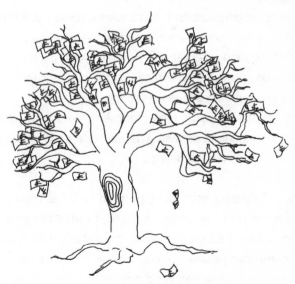

¡Quién pudiera...!

Debes dejar que aprenda a administrar sus gastos y su vida de acuerdo con sus posibilidades y, en este sentido, nada mejor que una asignación semanal.

Por desgracia, en la actualidad, cuando la mayoría de los chicos reciben regalos fuera de las celebraciones, poco o nada aprenden acerca del valor del dinero o el concepto de ahorro.

Asignación

Aunque tus hijos solían llevar siempre algunas monedas en el bolsillo para pequeños gastos semanales, tan pronto como cumplen trece o catorce años te ves en la necesidad de ofrecerles una asignación semanal, y esto por diferentes razones:

- Empezarán a darse cuenta del valor del dinero y comprarán lo que desean dentro de los límites de su presupuesto, o incluso... ahorrarán... para algo especial (estate alerta, ninguna de estas dos cosas suceden de la noche a la mañana).
- Sabrás exactamente cuánto le das semanalmente y te harás una idea de los «lujos» que pueden permitirse con esa cantidad.
- Evitarás el disgusto cada vez que te pidan dinero para salir y aquellos viejos tópicos que tanto detestabas en tus padres cuando decían «El dinero no crece en los árboles, ¿sabes?».
- En plena era de «¡Lo quiero todo y lo quiero ahora!», los adolescentes aprenden enseguida la primera y dura lección de la vida: no siempre puedes tener todo cuanto quieres.

Bien, todo esto parece muy fácil, pero en realidad no da resultado. Para ser sinceros, al principio suelen gastar toda su asignación en los dos primeros días, y luego piden más para el autobús para ir a la escuela. Siéntate tranquilamente con tu hijo y discute con él sobre lo que tendrá que comprar con ese dinero y cuál es la mejor manera de conseguir que la asignación le dure toda la semana e incluso ahorrar un poco. Como es natural, la cantidad de la asignación aumentará a medida que vayan creciendo y sean más independientes.

En primer lugar calcula lo que realmente necesita, incluyendo el transporte de ida y vuelta de la escuela y el dinero para el desayuno a media mañana o el almuerzo en el caso de que no regrese a casa al mediodía.

Luego acuerda con él lo que deberá comprarse él y lo que vas a costear tú. Aunque tengas poco que decir en la elección de su ropa, es una cuestión que deberías controlar. No incluyas este gasto en su asignación aunque eso no signifique una nueva prenda cada semana. Su presupuesto podría contemplar algunas de las siguientes partidas, dependiendo siempre de la edad:

- CD y DVD.
- Alquiler de vídeos, a menos que se trate de una película que toda la familia desea ver.
- Maquillaje (afortunadamente, sólo para las chicas).
- Revistas y libros.
- Dulces y aperitivos.
- Entradas para el cine.
- Una comida rápida.
- Tarjetas de teléfono móvil de pre-pago.
- Bebidas.
- Entradas a discotecas.
- Transporte público.
- Taxis (compartidos con amigos).

Son aspectos que hay que comentar y que no deben incluirse cada semana en la asignación. En ocasiones, es una buena idea hablarlo con los padres de algunos amigos de tu hijo para saber cuánto suelen asignarles. Demasiado poco, por ejemplo para cubrir los gastos de transporte y un par de paquetes de chicles sería inadecuado pero, por otro lado, darle lo suficiente para ir al cine, comprar una revista, una comida económica y un CD cada semana resultaría excesivamente generoso. Acuerda una cantidad realista y enséñale a presupuestar sus gastos.

Aunque te pueda parecer extraño, es conveniente que decidas con tu hija cuántas veces al año podrá ir a la peluquería y a los salones de belleza (sí, las chicas empiezan muy pronto a preocuparse por la suavidad de su piel y la manicura entre otras muchas cosas), de manera que si quiere hacerse mechas, deberá tener en cuenta que sólo podrá permitirse el lujo de retocarse las raíces, por ejemplo, cada seis u ocho semanas.

Cuando el dinero se acaba

Si tu hijo se queda sin dinero, probablemente te pedirá más o, por lo menos, un anticipo de la asignación de la semana siguiente.

Mantente firme: «No». Explícale que, como empleado en una oficina, no podrías pedirle a tu jefe un anticipo sobre el salario del mes próximo. No te dejes seducir: «Por favooooor, mamá, eres la mejor, la más joven y la más guapa del mundo. Te prometo que no volverá a suceder». ¿La más joven, la más guapa? A decir verdad, no está nada mal, pero no cedas. Serás injusta con él si le das, y ten por seguro que habrá un «otra vez», posiblemente mucho antes de lo que puedas imaginar, pues lo habrás acostumbrado a darle más dinero cuando se le agota, en cuyo caso, sabrá perfectamente que con unas cuantas zalamerías lo va a conseguir.

Sin embargo, podrías sugerir que si desea ganarse algún dinero extra, tal vez estarías dispuesta a considerarlo si planchara la ropa del cesto, preparara la cena o se encargara de cualquier otra tarea doméstica. Por cierto, es esencial que si acepta el trato, no le des a entender que siempre aceptarás esta alternativa y que no le darás el dinero hasta que haya terminado el trabajo. Déjale claro que nadie con un mínimo de cerebro estará dispuesto a pagarle por un trabajo que realizará en el futuro.

Cíñete a esta regla, de lo contrario acabarás acumulando disgustos y mal humor. Es entonces cuando comentarios como «Me tratas como si fuera un banco» sólo perjudican a la relación entre padre o madre e hijo. En cualquier caso, si sucede, la culpa será sólo tuya. Si cada vez que acudiéramos al banco y pidiéramos dinero al cajero (que no fuera nuestro) nos lo entregara a pesar de mediar serias dudas de devolución, ¿no volveríamos a menudo?

Dependiendo de la mayor o menor destreza de tu adolescente para administrar su asignación, a los quince o dieciséis años puedes acordar con él una asignación mensual en lugar de semanal para ver qué tal se las ingenia. Si en dos semanas se ha esfumado la asignación mensual, vuelve a la semanal. Querrá decir que todavía no está preparado para administrarse a medio plazo.

Si anda desesperado por conseguir algún dinero para comprar algo determinado y decides dárselo, comprométele a su devolución. No se lo regalas; se lo prestas. Incluso puedes establecer, de común acuerdo con él, exactamente cómo y cuándo lo devolverá antes de prestarle el dinero.

Padres separados

Intentar enseñar a un adolescente a administrar el dinero puede sufrir un serio revés si cuando visita al otro padre, éste le da todo el que pide. Esto puede ser debido a que el padre en cuestión se siente culpable de verlo sólo de vez en cuando o de los motivos de la separación.

Si mantienes una relación de buena comunicación con tu ex pareja, sugiérele la posibilidad de repartir a medias la asignación o ingresar periódicamente una determinada cantidad en una cuenta para que, por ejemplo, pueda comprarse un coche en el futuro. Y si la relación no es cordial, escríbele y explícaselo, señalando que redundará en el bien del chico.

Si observas que de un día para otro tu hijo lleva ropa nueva, se ha comprado un montón de CD y no le has dado dinero a tal efecto, pregúntale cuál es su procedencia. Si se lo ha dado tu ex pareja de modo excepcional, no digas nada, pero si empieza a suceder con una cierta regularidad, habla con ella. Dile que regalándole un montón de ropa no es la mejor manera de educarlo. ¿No sería preferible depositar este dinero en su cuenta de ahorro?

Abuelos

Si los abuelos de tu hijo le dan dinero con regularidad, sugiéreles también a ellos que lo ingresen en su cuenta de ahorros, pues ya tiene una asignación y lo único que está aprendiendo es a derrocharlo. Si sólo se lo dan ocasionalmente, acéptalo. En tal caso, podrías aconsejar a tu hijo que lo ingresara en su cuenta. En cualquier caso estate preparado para una sorpresiva mirada de «¿Pero que me estás diciendo?».

Cuentas bancarias

Todos los niños deberían disponer de su propia cuenta bancaria desde una temprana edad, ingresar en ella el dinero que reciben en su cumpleaños o Navidad y acumularlo para cuando sean mayores. Cuando tu hijo llegue a la adolescencia, no le permitas el acceso a la cuenta si crees que puede tentarlo demasiado. Como alternativa, podrías traspasar el dinero a una cuenta de ahorros, con intereses, y pagarle la asignación con cargo a su cuenta corriente previa autorización a la entidad bancaria para que pueda acceder a ella con tarjeta.

Trabajos a tiempo parcial

Los trabajos a tiempo parcial son la mejor manera de enseñar a un adolescente el valor del dinero. Después de todo, independientemente del dinero extra que ganarán, las largas horas de encierro en una oficina y el escaso salario a percibir lo incentivarán a dedicarse con mayor ahínco a preparar los exámenes para obtener buenas calificaciones. Sigue en edad escolar y el estudio es prioritario.

A los dieciséis años ayuda a tu hijo a encontrar un trabajo a tiempo parcial, sugiriéndole que redacte un CV (véase p. 101) en el que hacer constar su nombre, edad, domicilio, escuela en la que está cursando sus estudios, lo que está estudiando, teléfonos de contacto, direcciones de e-mail y cuándo estaría en disposición de empezar a trabajar. Asegúrate de que el trabajo no le ocupará demasiado tiempo. Debe seguir estudiando.

Asimismo deberá incluir una breve carta de presentación exponiendo los motivos por los que cree estar preparado para el puesto requerido, como por ejemplo, puntual, trato fácil con la gente, educado, honrado y con ganas de trabajar. Pregúntale a su profesor si estaría dispuesto a escribir una nota de referencia y adjunta una fotocopia al currículum vitae, además de una foto de tamaño carnet, preferiblemente sonriendo y de frente a la cámara. Una mirada poco afable, un mar de *piercings* o tres capas de maquillaje puede no ser precisamente la mejor imagen para un futuro empleador. En cualquier caso, si crees que tu hijo da esta sensación, coméntaselo con diplomacia.

Cualquiera que sea el trabajo al que presente su candidatura, explícale lo mejor que puedas qué implicará su desempeño. Por ejemplo, trabajar en una tienda de moda significará estar de pie todo el día (un calzado cómodo será imprescindible, en lugar de sus botas de tacón de 10 cm), recoger y guardar las prendas que los clientes hayan dejado en los cambiadores y colocarlos de nuevo en las perchas (¡Santo cielo! ¡Si no ha utilizado una en su vida!). Deberá tener el teléfono móvil apagado y preguntar si podrá traer un sándwich o le estará permitido salir de la tienda para comer. Aconseja a tu hija que se pinte las uñas a diario. Debe estar dispuesta a hacer todo cuanto se le ordene sin demostrar disgusto y con buena actitud. Pero explícale también que aunque sólo va a trabajar media jornada, tiene todo el derecho del mundo a recibir un trato respetuoso de los demás empleados. Si tiene algún problema con los compañeros o el encargado, dile a tu hija que te lo cuente de inmediato. Recuerda que es su primer trabajo, que está en una posición vulnerable y que, por el mero hecho de ser muy jovencita y trabajar a tiempo parcial, nadie debería tratarla indebidamente.

Como ocurre en todas las etapas de su desarrollo, si tu hijo sabe perfectamente lo que se espera de él y lo que debe esperar de los demás, se sentirá mucho más confiado y seguro de sí mismo. De lo único que sí deberías advertirle, aunque es posible que no lo crea hasta que lo experimente en sus propias carnes, es lo brusca y maleducada que puede llegar a ser la gente.

Finalmente, el consejo más importante que se puede dar a un adolescente (y también a algunos adultos que conozco) que afronta su primer trabajo, cualquiera que sea su tipo, es que por muy insignificante o aburrido que sea, hay que desempeñarlo lo mejor posible y ser educado con los clientes.

> **Fran:** «Antes de Navidad conseguí un trabajo de media jornada en una tienda de moda y, aunque traté de ser educado con todos los clientes, muchos de ellos no mostraban la menor consideración conmigo. Era el empleado más joven de la tienda y tenía la sensación de que, por el hecho de ser un adolescente, algunos adultos no sentían la necesidad de ser amables. Algo así como si te encasillaran como «estúpido» independientemente de cómo seas en realidad».

Escuela

Expectativas

Todos deseamos que nuestros hijos triunfen en sus actividades y estar orgullosos de ellos. Es normal. Pero algunos padres están tan determinados a que así sea que los someten a un estrés innecesario que a menudo les provoca más ansiedad y tiene resultados fatales.

En efecto, algunos padres se dejan cegar por sus propios sueños y aspiraciones de sus adolescentes, orientándolos hacia el logro de objetivos sin tener en cuenta la mayor o menor ambición de sus hijos. Se trata con mucha frecuencia de padres que no consiguieron lo que querían como jóvenes adultos y que desean verse realizados en sus hijos o que ansían su éxito allí donde ellos fracasaron. Por ejemplo, el mero hecho de que el chico muestre una habilidad natural para darle al balón y su padre sea un fanático seguidor del Arsenal, no significa necesariamente que su hijo quiera ser futbolista profesional a pesar de los deseos de papá. Algunos padres consideran la duda de sus hijos a la hora de elegir una carrera universitaria como un signo de que deben decidirlo por ellos, y no simplemente, como sería lógico esperar, que aún no han tomado una decisión al respecto y que tal vez necesiten más tiempo para reflexionar.

Pero los chicos y chicas que intentan vivir de acuerdo con las expectativas irrealistas de sus padres, independientemente de cuál realistas crean que son, acaban desmoralizados, superados por un sentimiento de fracaso y en ocasiones deprimidos.

Los padres pueden disgustarse y sentirse frustrados con ellos al darse cuenta de que sus sueños no se harán realidad, que no triunfarán donde ellos fracasaron o que no conseguirán alcanzar su mismo éxito. De repente, todos sus sueños se vienen abajo: ni futbolistas profesionales ni actores famosos, sino simplemente empleados en una agencia de viajes o recepcionistas.

O simplemente porque uno de los padres estudió en una determinada universidad o ejerce una determinada profesión no significa que sea la universidad o la profesión «correcta» para su hijo. En una familia de médicos, el chico puede decidir no seguir el mismo camino. Frases como ésta suelen ser habituales: «Los MacEnema hemos sido médicos durante setenta años. ¿Qué significa esto de que quieres dedicarte a la publicidad?». Tomar decisiones propias forma parte del crecimiento y, aunque es necesario estar a su lado y orientarlos, es del todo desaconsejable intentar controlar y estructurar su futuro. Lo que sí puedes hacer es señalarle su talento natural: quizá tenga una habilidad innata para relacionarse con los demás, una extraordinaria capacidad artística o una mente científica por naturaleza. Pero finalmente deberá ser él quién tome sus propias decisiones.

Si llegada la hora de ingresar en la universidad todavía no ha decidido lo que le gustaría hacer en el futuro, no te preocupes demasiado; no significa que no vaya a realizar una brillante carrera, sino simplemente que por ahora no sabe cuál será. De lo que debes sentirte realmente satisfecho es de que hoy tu hijo se sienta seguro de sí mismo, goce de buen humor y sea encantador. Lo demás ya llegará en su debido momento.

Una forma en la que un adolescente puede hacerse una idea de lo que podría querer hacer es trabajar durante algún tiempo en diferentes profesiones en prácticas, sin retribución.

Padres recalcitrantes en el ámbito deportivo

De nada sirve intentar dar buen ejemplo y enseñar a un adolescente a ser una buena persona si los padres asisten a los partidos de baloncesto que juega su hijo y abuchean e insultan constantemente al árbitro y a los jugadores del equipo contrario.

Esto sólo le da a entender que puede cuestionar cualquier decisión y discutir con autoridad, y que ganar lo es todo en la vida.

Algunos de estos padres incluso animan a sus hijos a comportarse maliciosamente y a recurrir al engaño (¿y a la agresión física?) con tal de que su equipo gane. Por otro lado, y en el mejor de los casos, acabarán expulsados de la cancha con una tarjeta roja. Lamentable.

Cualquiera que practique un deporte debería esforzarse al máximo para ganar, pero no a costa de su dignidad, integridad y buena educación. Los padres que apoyan a sus hijos en los eventos deportivos tal vez deberían asistir a partidos de rugby profesional. Aun en un deporte de tan extremado contacto físico, cuando el árbitro toma una decisión, los jugadores no se muestran agresivos. Su respuesta es invariable: «Sí señor». A esto se llama simple y llanamente respeto.

Exámenes

Los adolescentes (¡y los padres!) pueden sentirse muy estresados en la época de los exámenes finales, y este estrés puede someter a tal presión a sus hijos para que obtengan buenas calificaciones, que también ellos pueden sumirse en un profundo estado de ansiedad y depresión.

Recuerda ante todo que aunque los medios de comunicación nos hagan creer que basta ser capaz de escribir tu nombre correctamente para obtener una «A» en un examen, en realidad no es tan fácil. No todos los chicos tienen una facilidad especial para los estudios, al igual que no todos poseen un don artístico innato o destacan en la práctica deportiva. No presiones a tu hijo considerando un estrepitoso fracaso familiar si no es capaz de sacar una «A» en matemáticas o sociales. En efecto, todos queremos que nuestros hijos rindan en los estudios, pero al término del día, si han trabajo duro, han dado cuanto tienen de sí y no han conseguido pasar de una «C», lo importante es que se han esforzado y lo han hecho lo mejor posible. En consecuencia, debería verse recompensado. Nunca prometas recompensas sólo por los buenos resultados. Si el chico

ha trabajado con ahínco, recompénsalo independientemente de sus calificaciones.

Elección de asignaturas

La directora del colegio de mi hija comentó en la reunión de padres que no les prepararan fiambreras con el almuerzo, una metáfora como cualquier otra de dejarlos elegir las asignaturas que quieren cursar pues, al fin y al cabo, son ellos quienes deben estudiarlas. Siempre he pensado que aquél fue un buen consejo. Los padres, profesores y consejeros universitarios pueden aconsejar a tu hijo, pero sólo él tomará la decisión final. Ellos y no tú van a pasar varios años sentados y con los codos apoyados en el escritorio.

Trabajo escolar y supervisión

De una forma similar a una cesta de ropa lista para planchar, el trabajo escolar y el repaso pueden demorarse hasta el punto de que, a la hora de empezar, la materia acumulada sea ingente y la tarea resulte a todas luces excesiva. Al igual que en el chiste «¿Cómo te comerías un elefante?» la respuesta es «Bocadito a bocadito», sugiere a tu hijo que aplique este enfoque a sus estudios (¡y también a planchar!). Si algo no saben hacer los adolescentes es organizarse el tiempo, y las tareas escolares es un área que a menudo se suele dejar para el último momento. Las calificaciones de los deberes en casa son importantes en la nota final.

Ayúdale a confeccionar una tabla de horarios para el repaso de las asignaturas, de manera que sepa exactamente lo que está haciendo. Por ejemplo, de 5 a 6 de la tarde geografía, luego, de 6 a 7 matemáticas, incluyendo siempre diez minutos de receso entre disciplina y disciplina. Durante el repaso, ofrécele aperitivos nutritivos y bebidas refrescantes, al tiempo que lo animas a seguir adelante. Es esencial que termine de repasar a una hora razonable para poder cenar y disponer del tiempo necesario para hacer la digestión antes de acostarse. EL descanso nocturno debe ser reparador. Recuérdale que siempre puede acudir a ti si tiene algún problema con lo que está repasando o si no consigue entender un tema determinado. Dependiendo del nivel de sus estudios, tal vez no seas capaz de ayudarlo directamente, pero en cualquier caso podrías llamar al profesor para pedirle consejo.

Palabras de motivación tales como «Piénsalo bien. Dentro de dos meses se habrán acabado los libros de biología», o de empatía: «No te estoy echando la culpa de tu desánimo. A nadie le gustan los exámenes. Pero recuerda que si trabajas duro ahora, no tendrás que estudiar en verano. ¿No crees que vale la pena? Ánimo hijo».

Algunos chicos se concentran mejor con un sonido de fondo. Así pues, no te apresures a indicarle que apague el equipo de música siempre que no esté a un volumen excesivo, pero sin duda deberá tener el televisor apagado y a ser posible no recibir llamadas telefónicas que puedan distraerlo de su tarea. Asimismo, internet debe servir para buscar información para los trabajos escolares, no para chatear o jugar.

Si realmente está teniendo dificultades con la materia que está repasando, sugiérele descansos a intervalos. Por ejemplo, diez minutos de repaso, otros diez de descanso, aumentando gradualmente el

«Alex, ¿estás estudiando?» «Sí, mamá.»

tiempo de trabajo hasta veinte, treinta, cuarenta minutos entre descansos. Si tienes tiempo (procura encontrarlo), pregúntale si le gustaría que le preguntaras los temas que ha estudiado. Alivia la monotonía de trabajar solo. En cualquier caso, motívalo, evitando comentarios como «Desde luego, no sé lo que habrás estado haciendo durante estas dos horas. No tienes ni idea de lo que es la fotosíntesis» y sustituyéndolos por otros más constructivos: «Lo estás haciendo bien, cariño, pero como ves quedan algunas cosas algo confusas. Repasa de nuevo estos apartados».

Mapas mentales

El mapa mental, desarrollado por Tony Buzan a finales de la década de 1960, es un instrumento de repaso que resultará muy útil a tu hijo. Es el único sistema de toma de apuntes y planificación en el que intervienen los dos hemisferios del cerebro para generar la máxima agilidad mental. Esto se debe a la combinación de colores, imágenes y palabras. Otros métodos de toma de apuntes más tradicionales, lineales y monocromáticos sólo estimulan el hemisferio izquierdo, dificultando la memorización de la información.

LOS MAPAS MENTALES SON ESPECIALMENTE ÚTILES PARA:

- **Organizar información.** El mapa mental ayudará a tu hijo a establecer vínculos visuales entre la información y a seleccionar y agrupar datos de un modo coherente y fácilmente memorizable.
- **Resumir información.** Con un mapa mental es fácil resumir toda la información en una sola página en lugar de ocupar varias hojas de papel. Esto crea confianza en el alumno y le proporciona un mayor sentido de control.
- **Revisión de la planificación.** Una revisión del mapa mental ofrecerá a tu hijo una excelente visión general de las asignaturas que debe repasar y cuándo debe hacerlo, lo cual resulta particularmente eficaz si su sentido de gestión del tiempo es caótico.
- **Recordar información.** Al conjugar el poder de los dos hemisferios ce-

rebrales, los datos contenidos en el mapa mental son mucho más fáciles de aprender a partir de notas convencionales.

- **Disfrutar aprendiendo.** El mapa mental es muy ameno y sobre todo relajante, simplificando el de por sí arduo proceso general de repaso.

Para más información sobre mapas mentales, consulta las obras de Tony Buzan *El libro de los mapas mentales*, Urano, Barcelona, 1996, y *Cómo crear mapas mentales*, Urano, Barcelona, 2004. También encontrarás bastante material en internet.

Días de examen

Dale a tu hijo un buen impulso energético por la mañana con un desayuno rico en proteínas, como por ejemplo huevo pasado por agua o duro, o bien con beicon y una tostada de pan integral. Evita los cereales azucarados y las tostadas de pan blanco, que «amodorran» el cerebro, es decir, todo lo contrario de lo que se pretende conseguir. Anímalo. Dile que nadie mejor que él sabe que puede hacerlo, que estás orgulloso de cuánto ha trabajado y que si no sabe responder algunas preguntas, no significa que no vaya a tener la oportunidad de ser una *super star* una vez concluidos los años de escolaridad y que vaya a vivir en la miseria, sino simplemente que no supo responder. Punto final y a seguir adelante como si nada hubiera pasado. ¡A por el examen siguiente! Abrázalo y dile cuánto lo quieres. Deséale buena suerte. Podrías sugerirle levantarse un poquito antes que de costumbre para ir a la escuela caminando y oxigenar el cerebro. Investigaciones recientes han demostrado que el ejercicio físico incrementa el flujo sanguíneo cerebral y estimula el crecimiento de las células del cerebro (digo yo que todo esto tendría que dar algún resultado). El ejercicio también tiene efectos positivos en el estado de ánimo, de manera que después se sentirá mejor, aun en el caso de que esté a punto de sentarse para enfrentarse a un examen importante.

> **Katherine:** «Cuando regreso a casa después de un examen, detesto que mis padres me pregunten qué tal fue. Ya sé que lo hacen con buena intención, pero después de pasar tres horas escribiendo sobre una asignatura, lo único que quiero es olvidarlo todo. Ahora ya no hay nada que pueda hacer. Un *post mortem* no mejorará los resultados».

Resultados

No todos van a conseguir las calificaciones que desean. Algunos chicos se sentirán terriblemente disgustados por sus resultados. Evita, pues, comentarios como «Te lo advertí. Tenías que haber estudiado más» o «¿De qué te sorprendes? La culpa es sólo tuya». Trátalo con cariño; al fin y al cabo en las calificaciones va implícito el castigo. Mantén la serenidad, no vociferes y cuando todo el mundo haya tenido tiempo para digerir las malas noticias, siéntate y habla con él.

Si ha aprobado, celébralo. Dile lo orgullosos que os sentís. Si tienes dos hijos, uno con mejores calificaciones que el otro, sé diplomático. Explica en privado al que ha obtenido mejores resultados por qué no puede organizar una fiesta y bailar de felicidad delante de su hermano, pero procura que entienda perfectamente que estás encantado con él.

Si tu hijo no consigue las calificaciones necesarias para ingresar en la universidad que había elegido, se sentirá desolado. Probablemente tú te sentirás igual, pero no lo demuestres. Siéntate y habla con él para decidir lo que se debe hacer a continuación. La vida no termina con unos resultados académicos más bajos de lo esperado. Como dijo Mark Twain: «Nunca dejo que la escolaridad interfiera con mi educación».

Sam: «Todos los chicos de mi edad, independientemente de su actitud, están preocupados por lo que piensan sus padres de sus calificaciones. Cualesquiera que sean los resultados, aconsejo a los padres que apoyen siempre a sus hijos y los motiven demostrándoles cuán orgullosos se sienten de ellos».

Trabajo

Currículum vitae

La expresión «currículum vitae» deriva del latín «el curso de la vida» y lo primero que conviene destacar es que la mayoría de los empleadores suelen echar inmediatamente a la papelera cualquier CV que contenga las palabras «currículum vitae» deletreadas incorrectamente (¡y reciben centenares en tales condiciones!).

Un CV es el «anuncio publicitario» de tu hijo dirigido a un potencial empleador, y se envía cuando se presenta una candidatura a una demanda de trabajo. Los empleadores pueden recibir una infinidad de CV, de manera que es importante que el de tu hijo despierte interés, esquematice bien la información y resulte atractivo.

Veamos algunos «síes» y «noes» en la preparación de un buen currículum:

- Redáctalo con un procesador de textos o mecanografiado.
- No uses más de dos fuentes o tamaños de impresión.
- Sé generoso con los márgenes y espacios en blanco para facilitar la lectura.
- Dispón la información con sencillez y claridad.
- Procura limitarlo a una hoja DIN-A4 (en principio debería resultarle fácil conseguirlo, pues carece de demasiada experiencia laboral anterior).
- La gramática y ortografía son esenciales.

- Léelo y reléelo, y pide a tu profesor o a tus padres que lo revisen antes de enviarlo.
- Haz constar tus datos personales: nombre, domicilio, fecha de nacimiento, número de teléfono y dirección de correo electrónico. Si adjuntas una foto, procura que sea de buena calidad. No utilices fotografías tomadas con los amigos, con *piercings* y el pelo verde.
- Enumera tu nivel de estudios y las calificaciones sin exagerar. Menciona cualquier diploma adicional que hayas obtenido, trabajos en equipo y cualidades de liderazgo.
- Incluye también si tienes permiso de conducir, tu conocimiento de idiomas extranjeros o de informática.
- Realiza una breve sinopsis de cualquier experiencia laboral previa,

KURICULUM BITAE

NOMBRE: Sam Palmano
EDAD 18 (pero con DNI de 21)
SEXO: Cada noche
EXPERIENCIA: A montones.
Como ya he dicho, cada
noche (véase SEXO)

REFERENCIAS:
   Tracey
   Sandra
   Vickay
   La hermana de Tracey

como, por ejemplo, haber trabajado de empleado en una tienda los sábados, trabajos administrativos en la biblioteca de la escuela, etc.), por orden y con fechas.

- Cita tus aficiones (deportes, hobbies).
- Incluye una breve descripción de tus cualidades: trato fácil con la gente, puntual, responsable, etc.
- Da nombres, domicilios y teléfonos de contacto de por lo menos dos profesores o amigos de la familia que te conozcan desde hace tiempo. Diles que en cualquier momento podrían llamarlos y que si están dispuestos a dar referencias de ti.
- Envía el CV con una carta personalizada a la empresa. Llama primero y averigua a quién debes dirigirla.

Entrevistas

Tanto si tu hijo ha decidido ir a la universidad o seguir cualquier otro tipo de formación profesional, o prefiere buscar un trabajo a tiempo parcial o a jornada completa, deberá pasar inexcusablemente por una entrevista. Es crucial. Que consiga o no el puesto de trabajo dependerá en gran medida de las percepciones del entrevistador durante el encuentro.

Aunque parezca increíble, esta historia es verdadera. El propietario de un negocio de electrónica comentó que realizando entrevistas para cubrir una plaza vacante de aprendiz notó que mientras estaba hablando con uno de los aspirantes, se oía una especie de zumbido. Al poco descubrió que el chico no había desconectado su iPod; ¡lo estaba escuchando durante la entrevista! Ni que decir tiene que el joven no consiguió el puesto, que acabó ocupando otro chico que había acudido a la cita con traje. Como dijo más tarde el empresario, «Si ha hecho el esfuerzo de ponerse un traje para venir a la entrevista, quiere dar una buena impresión y valora los minutos que voy a dedicarle. Confiaré en él».

En la mayoría de las escuelas se enseñan técnicas de entrevista. En cualquier caso, siempre conviene tener en cuenta algunos «síes» y «noes» indiscutibles:

- Viste con elegancia. Es preferible prepararlo todo la noche anterior en lugar de dejarlo para el último momento, cuando tu camisa preferida está tirada en el suelo con manchas de ketchup y los pantalones sin planchar.
- Busca información sobre la empresa/tienda/instituto para familiarizarte y saber algunas cosas acerca de la actividad que desarrolla, el volumen de plantilla, los productos o servicios que comercializa, y piensa en el tipo de preguntas que podrían formularte.
- Lleva preparadas algunas respuestas a preguntas que sospechas que probablemente te formularán.
- Sé puntual, a ser posible algunos minutos antes de la hora prevista. Es intolerable llegar tarde a una entrevista. Calcula exactamente la distancia a la que deberás desplazarte y el tiempo que invertirás en llegar.
- Lleva una copia de tu CV aunque ya lo hayas enviado antes.
- Pregunta el nombre de la persona con la que vas a entrevistarte.
- Dirígete a él, estréchale la mano con firmeza y míralo directamente a los ojos mientras dices: «Buenos días Sr. Ramírez». Preséntate y sobre todo sonríe. Es muy importante.
- Siéntate erguido pero confiado y relajado aunque la procesión vaya por dentro y se te estén comiendo los nervios.
- Escucha con atención las preguntas y responde con frases completas, no monosílabos, pero sin divagar. Mira siempre a los ojos del entrevistador.
- Muéstrate interesado y entusiasta, y formula preguntas adecuadas acerca del trabajo.
- No fumes aunque te lo ofrezcan ni mastiques chicles.
- Resalta tus cualidades pero sin mostrarte altivo.
- Sé sincero. Si sabes que no vas a poder trabajar los sábados por la tarde (tienes partidos de baloncesto en la liguilla escolar, etc.), es preferible decirlo.

- Responde a las preguntas con honradez y franqueza.
- Agradécele al entrevistador el tiempo que te ha dedicado.

Si quieres ayudar a tu hijo, sugiérele que pida a un profesor o familiar que se preste a un simulacro de entrevista.

5

Comunicación

La comunicación es uno de los factores más importantes para mantener una buena relación con los adolescentes. Consta de tres componentes imperativos: empatía, escucha y sinceridad.

La forma más fácil de seguir de cerca el crecimiento de tu hijo es implicarte en su vida cotidiana, lo cual no significa interrumpirlo constantemente en sus actividades, escuchar sus conversaciones telefónicas o leer su diario, pero sí mantener permanentemente abiertas las líneas de comunicación y dedicar tiempo a hablar con él. Probablemente te preguntarás, como nos ocurre a casi todos, qué demonios hace cuando llega a casa de la escuela, deja tiradas las zapatillas deportivas y la mochila en el recibidor, el sofá o cualquier rincón y se esfuma en su habitación para ver la televisión o enfrascarse con el ordenador hasta la hora de acostarse.

Cómo hablar con los adolescentes

De un modo similar a lo que ocurre con los niños de tres o cuatro años (¡ni se lo menciones!), los adolescentes buscan desesperadamente su independencia, y también al igual que aquéllos, cuanta mayor responsabilidad se les da, más satisfecho se sienten.

En primer lugar procura empatizar con la forma de pensar de tu hijo. Imagina a cuatro personas sentadas delante de una hoja de papel con un manchón de tinta a las que se les pide que describan la imagen que les recuerda. Evidentemente cada una de ellas contará una historia diferente de lo que ve, puesto que todos ven las cosas de maneras diversas. En realidad, sería muy aburrido si nuestros hijos adolescentes tuvieran exactamente las mismas opiniones que nosotros acerca de absolutamente todo. Queremos personas con toda su carga de individualidad, no clones. Y ahora es el momento ideal para estimular sus puntos de vista, no de suprimirlos ni de decirles lo que deberían pensar.

En segundo lugar, las líneas de comunicación sólo seguirán abiertas si eres capaz de escuchar sin interrumpirlo cada dos por tres ni cuestionarlo o enjuiciarlo. Y en tercer lugar, sé sincero. Si te preocupa alguna cuestión o crees necesario discutirla, no te andes con rodeos y díselo sin más. Los adolescentes detestan la hipocresía y es mucho más probable que sea sincero contigo si sabe que tú lo eres con él.

Cuando se dé cuenta de que lo estás escuchando seriamente, se mostrará mucho más receptivo y predispuesto a hablar contigo y a abordar el tema de que se trate. Ser un padre preparado para escuchar no es uno que sabe todas las respuestas.

Por último, encontrar tiempo para hablar puede ser difícil: horarios escolares más largos, actividades extraescolares, entrar, salir, el teléfono, el ordenador, etc. El momento ideal es en la mesa durante la cena.

Además de lo que de por sí supone hablar abiertamente contigo, se familiarizará con tus ideas y opiniones en relación con una amplia gama de cuestiones, desde el consumo de drogas hasta la delincuencia juvenil.

La cena familiar tal vez sea la única ocasión de que dispondréis para poder conversar con calma.

Ahora tu hijo ya es mayor y no tiene que acostarse a las ocho de la tarde. Así pues, no hay ninguna razón que os impida cenar juntos cada noche. ¿Menús de alta cocina? Ni mucho menos. Basta una comida sana y fácil de preparar; incluso a domicilio de vez en cuando. Ahora que ya es adolescente, este tiempo en torno a la mesa será valiosísimo para él por diferentes motivos:

- Es el único momento del día en que se puede hablar tranquilamente.
- Tienes la oportunidad de supervisar sus hábitos de alimentación (sobre todo si se trata de tu hija).
- Advertirás cualquier cambio en su estado de ánimo y comportamiento.
- Detectarás sus problemas o ansiedades.
- Seguirá aprendiendo de tu ejemplo.
- Puedes hablar de cuestiones generales; las más personales deberían discutirse cara a cara y en privado.

Los adolescentes casi nunca se muestran dispuestos a hablar de la jornada escolar o de cómo van sus estudios. Interésate por sus aficiones o plantea un tema de actualidad que sea importante para él tales como la música, moda, películas, TV, personajes famosos y dilemas cotidianos. Se mostrarán receptivos y manifestarán sus opiniones.

Recuerda escuchar atentamente sus puntos de vista y expresa interés en lo que está diciendo. No te apresures a decirle que no sabe de lo que está hablando simplemente porque no estás de acuerdo. Evita las cuestiones personales en la mesa; de lo contrario, la conversación se convertirá rápidamente en una discusión con tu hijo vociferando como un loco. La adolescencia es un período de extremada sensibilidad. No lo humilles ni avergüences; anímalo y tranquilízalo. Por último, no pierdas nunca el sentido del humor. Una buena carcajada alivia el estrés y estrecha los vínculos afectivos familiares.

Si la cena ha resultado amena y entretenida, podrías sugerir seguir sentados a la mesa y echar una partida de cartas o pasar un buen rato con cualquier juego de mesa.

DIRECTRICES PARA LAS COMIDAS FAMILIARES
- Nada de teléfonos móviles en la mesa, y a quienes llamen a la línea fija se les dirá que vuelvan a llamar más tarde.
- En la mesa no se toleran las discusiones entre hermanos.
- El televisor apagado.

- No saques a colación temas de controversia como, por ejemplo, que no irá a la discoteca el sábado por la noche a menos que limpie y ordene su habitación.
- Evita cualquier comentario sobre amigos, novios, estilo de peinado o forma de vestir.

Si hay hermanos pequeños sentados a la mesa, dales permiso para levantarse e ir a jugar cuando hayan terminado de cenar, y luego sigue charlando con tu hijo de temas más adultos. Si has pasado un rato ameno hablando con él, agradéceselo.

> **Sam:** «Cenamos en familia casi a diario. Es interesante charlar por el mero hecho de hacerlo. A mis hermanas y a mí nos divierte bromear con nuestros padres».

Dificultades en la comunicación

Si por cualquier motivo la comunicación con tu hijo adolescente se ha interrumpido, piensa que no eres el único. Les ocurre a cientos de miles de padres. No te preocupes demasiado, tiene solución.

La causa desencadenante puede ser una discusión acalorada o simplemente una erosión o deterioro gradual de la relación. Con el ajetreo de la vida diaria es muy fácil que cada cual tenga su propio horario de cena en casa. Los encuentros familiares en torno a la mesa son escasos, y muchas veces el adolescente cena solo con una bandeja en el sofá, delante del televisor, o en su habitación. Con todo el mundo entrando y saliendo del trabajo y la escuela, los deberes escolares y el trabajo adicional de la oficina en el despacho doméstico, la conversación tiende a convertirse en órdenes y preguntas: «Es hora de levantarse», «Pon el bol de cereales en el lavavajillas», «La cena está lista», «¡No le grites a tu madre!», «¿Piensas pasarte toda la vida en el baño?», «¿Has hecho los deberes?», «Buenas noches».

Con el tiempo, en ocasiones en un breve período, esta falta de comunicación y la relación entre los miembros de la familia se ven sometidas a tensión. Se habla menos, se toca menos, hasta que cualquier cuestión provoca una discusión con gritos por ambas partes. A menudo, desde aquel momento, el adolescente muestra una actitud de rebeldía ante los deseos de sus padres, llegando incluso a salir de casa con un sonoro portazo cuando le hablan.

Solución

Una interrupción en la comunicación acarrea también otra en el respeto, y la forma de manejar esta situación no sólo deberá restablecer la relación de confianza entre padres e hijo, sino también enseñarle una valiosa lección acerca de cómo «reparar un puente» en situaciones conflictivas. Son los padres quienes, como adultos, deben tomar la iniciativa. Si has levantado la voz a tu hijo, pídele perdón sin añadir que lo tenía merecido o te provocó. Siéntate y habla con él con tranquilidad para limar asperezas y fortalecer los vínculos afectivos mutuos. Procura que nadie interfiera en el ambiente de intimidad y privacidad durante la charla, en especial los hermanos pequeños.

Siéntate frente a él y comenta con él las cuestiones que propiciaron el conflicto y escucha con atención lo que tiene que decir. Es esencial plantear alternativas de negociación y compromiso. Esto no

quiere decir que siempre tengas que ceder, sino llegar a un acuerdo satisfactorio para ambas partes.

Sugiere cenar en familia cada noche sin TV para conversar sobre cualquier tema de interés (¡y reír juntos!; reír tiene efectos milagrosos en las relaciones interpersonales). Y no olvides la importancia del contacto físico: abrazos, mimos, palabras cariñosas, etc.

Si las discusiones han degenerado en insultos, por muy dolido que estés, recuerda que eres su padre, de manera que si la situación es tan tensa como para impedirte hablar personalmente con tu hijo, escríbele una nota: «Perdona lo sucedido. Papá y mamá. Te queremos». ✐

Relaciones madre-hija

No hay relación que pueda compararse a la que une a una madre con su hija. Desde su más tierna edad, las niñas consideran a mamá como una especie de diosa. No sólo quieren hacer lo que ella hace y estar

permanentemente a su lado, sino también ser como ella, llevar zapatos de tacón, maquillarse, vestir igual y lucir sus collares y brazaletes. Las niñas pequeñas colman a mamá de amor y mimos. ¿Cómo es, pues, posible que las cosas se tuerzan? Espera a que tu hija cumpla trece años y, de un día para otro, aquella diosa se ha convertido en una mujer pasada de moda, ignorante, estúpida, antipática y afortunada si consigue disfrutar de la atención de su hija cinco minutos escasos al día.

Incluso en las familias más cálidas y hogareñas, las relaciones entre madre e hija pueden volverse tensas y ásperas. En opinión de algunos psicólogos, la causa hay que buscarla en que a las madres les resulta difícil aceptar a sus hijas como adultas. En realidad, no es infrecuente que las chicas se sientan más unidas a papá en la adolescencia.

Cuando una niña alcanza la pubertad, tiene que alejarse de su madre para empezar a prepararse para su futura independencia. Durante este proceso pueden mostrarse desafiantes y duras en su forma de hablar, lo cual resulta muy desagradable para mamá. En muchas familias, expresiones tales como «¡Te odio!» son habituales. Si te ocurre a ti, no te preocupes; ten por seguro que no te odia. A menudo algunas madres se lamentan de que ni siquiera pueden estar en la misma habitación con su hija sin que salten chispas.

Ten un poco de paciencia. A partir de los veinte, la relación suele restablecerse. En cualquier caso, procura no disgustarte demasiado durante su adolescencia y aceptar las cosas tal como son.

Trátala como la joven adulta en la que se está convirtiendo y procura que comprenda que estás convencida de que será capaz de hacer lo correcto en cualquier situación. Intentar constantemente que cumpla tus deseos y acepte tus puntos de vista es contraproducente. Lo único que conseguirás serán discusiones amargas e innecesarias.

Cada vez que diga algo en lo que no estés de acuerdo o tengas la impresión de que sólo pretende provocarte y poner a prueba tu capacidad de tolerancia, respira hondo y cuenta hasta diez antes de abrir la boca. Anímala a hablar de sus amigos (¡nunca de su nuevo novio!) y muéstrate empática con ellos. No hay mejor forma de exasperar a un adolescente que criticar constantemente a sus amigos. Busca tiempo para hacer cosas juntas, ve al cine con ella o invítala a comer a un restaurante con su mejor amiga. Si va a asistir a una fiesta, ofrécete a peinarla, maquillarla o hacerle la manicura.

Presta atención a lo que dice y no esperes que acepte tus opiniones; son las tuyas, no las suyas.

Elogia su aspecto físico. A ninguna mujer le gusta pasar dos horas acicalándose para que luego alguien se la quede mirando y critique su aspecto.

Y no olvides nunca decirle que la quieres, abrazarla y hacer cosas para ella, por muy simples que parezcan, aunque se muestre invariablemente encerrada en sí misma y no te corresponda con la misma efusividad. Está en la edad. No adoptes la actitud de «¿Y bien, ¿por qué debería hacer algo bonito por ella cuando no hace nada por mí?». Recuerda que eres la madre de una chica adolescente. Tú eres adulta y ella medio niña.

Aun así, somos humanos, y si las cosas se tuercen y arrecian los gritos, aunque creas que es tu hija la que se ha equivocado, tú eres su madre, el ejemplo a seguir, el adulto. Excúsate: «Siento mucho haberte gritado».

Respétala en todo momento y será mucho más probable que haga lo mismo contigo.

No intentes ser su «mejor amiga»

En mi opinión, las madres que insisten en que son las mejores amigas de sus hijas adolescentes se equivocan. Las chicas comentan todo con sus mejores amigas, especialmente de chicos, sexo, chicos, amigos, chicos, sentimientos, chicos, preocupaciones, esperanzas y... ¿lo adivinas?, chicos. Con su madre nunca hablarán de estos temas en profundidad. Los amigos y los padres se hallan en dimensiones muy diferentes.

Me horrorizaría haber hablado con mi madre de la mitad de las cosas que compartía con mi mejor amiga a esa edad (y que ella hubiera hecho lo mismo conmigo). Las madres deberían tener sus propias amigas íntimas con las que charlar y hacerse confidencias, pero una hija adolescente nunca debería desempeñar ese papel.

Las madres e hijas adolescentes pueden mantener una estrecha relación afectiva cálida y maravillosa, pero sin dejar de ser «madres» e «hijas», no «las mejores amigas». Las madres que se empeñan en intercambiar prendas de vestir con sus hijas, salir de compras o de copas necesitan tener su propia vida y dejarlas que empiecen a gobernar la suya con sus propios amigos. Mamá debe estar ahí para apoyar y orientar, no para decidir cosas que deberían ser ya de la estricta incumbencia de sus hijas. Independientemente de lo disgustados que se sienten la mayoría de los adolescentes a causa de los «toques de queda» y otras reglas familiares, en realidad son mucho más felices y se sienten apoyados, queridos, cuidados y más seguros de sí mismos.

Las chicas, muy en especial, tienen una infinidad de cuestiones propias e intransferibles, y lo que necesitan es una madre comprensiva que las apoye, no una que pretenda verse realizada por lo que hace o cómo se comporta su hija.

Divorcio

El divorcio es una experiencia extremadamente difícil y traumática para todos. Las estadísticas indican que el 28% de los padres de los chicos menores de dieciséis años se separan. Para los adolescentes, que están atravesando un complejo período de desarreglos hormonales y cambios en el estado de ánimo, son circunstancias particularmente difíciles. Están en un período de su vida en el que están intentando averiguar cuál es su función en el mundo, y su estabilidad, el entorno en el que se han desarrollado, se derrumba súbitamente. Ven a sus padres disgustados, enojados, o peor, impotentes. Tienden a experimentar sentimientos de confusión, preocupación y temor, y en ocasiones, incluso de culpabilidad. También se pueden sentir resentidos hacia ellos, como diciendo «Deberían preocuparse por mis problemas, no por los suyos».

Por muy traumatizados, amargados o disgustados que puedan sentirse los padres, deben ser sinceros con sus hijos adolescentes. Gritar y vociferar detrás de una puerta cerrada y vivir en una atmósfera que se puede cortar con la hoja de un cuchillo no es algo que se pueda disimular ni ocultar a un adolescente. Es preferible sentarte y explicarle lo que está sucediendo y, por encima de todo, hacerle saber que no es culpa suya. Es improbable que los dos padres puedan conversar juntos con sus hijos sin que uno u otro haga algún comentario acerca de quién es el culpable. La discusión será inevitable.

No pongas a prueba la lealtad de tu hijo. Independientemente de lo disgustado que estés, evita desacreditar, culpabilizar y criticar a tu pareja delante de él. Sólo conseguirías confundirle más y sembrar la duda. Explícale lo que va a ocurrir sin obviar los detalles. Necesita saber dónde vivirá y con quién, si se venderá la casa, dónde va a vivir el otro padre (casi siempre papá) y con quién pasará las vacaciones de Navidad y de verano. Madre, no trates de limitar el tiempo que puede pasar con su padre; han vivido con él entre trece y dieciséis años. ¿Por qué ahora no deberían poder seguir viéndolo cuando deseen? No alimentes el «combate» utilizando a tus hijos como «munición». Si tu relación con tu ex pareja es infernal y no puedes hablarlo personalmente, escríbele o envíale un e-mail, pero ni se te ocurra usarlos a modo de intermediarios para transmitir mensajes y hacer preguntas de ida y vuelta.

Anímalos a preguntar cuanto se les ocurra sobre la nueva situación y respóndeles sincera y directamente sin desacreditar a nadie (a la nueva pareja de tu padre o de tu madre, por ejemplo).

Recuérdales siempre lo mucho que lo quieres y lo mucho que lo quiere también su otro padre, y que aunque no vayas a convivir más con él, es libre de visitarlos cuando quiera al uno y al otro por igual.

Sugiere a tu hijo una charla con un adulto, tal vez un buen amigo de la familia, padrino, tío o profesor en el que confíe para hablar de la situación. A veces los adolescentes prefieren compartir sentimientos con sus amigos que con sus padres. Necesitan a alguien fuera del entorno familiar con el que poder conversar y sincerarse.

Familias monoparentales

La vida del adolescente en una familia monoparental no es fácil, aunque para ser sinceros, podríamos decir que es más difícil para el padre o madre que para el chico, que se comportará como cualquier otro adolescente y desaparecerá en su habitación, telefoneará a sus amigos o jugará en el ordenador, dejándolo solo sentadito en un rincón del salón, a menudo triste y abatido.

El principal problema con la paternidad monoparental es la falta de apoyo de una pareja. Cuando surgen discusiones, no hay nadie con quien hablar, a quien pedir ayuda a la hora de decidir una estrategia o simplemente con quien sentarse a compartir un vaso de vino y comentar la situación.

Si el adolescente ve a los dos padres con regularidad, se producirán menos conflictos si se establecen las mismas reglas en los dos entornos familiares. Por ejemplo, si mamá insiste en que su hijo debe estar en casa a las once de la noche, pero papá lo autoriza a estar fuera hasta la una de la madrugada, los problemas serán inevitables. Los padres que mantienen una buena comunicación deberían acordar tratarlo de la misma forma en los dos hogares, pero si ni siquiera se hablan, entonces cualquiera de ellos podría escribir a su ex pareja explicándole la situación y que sería mucho más apropiado para su hijo acordar algunos principios.

En otras situaciones, si por ejemplo ha estado discutiendo acaloradamente con su madre, el chico puede amenazar con irse a vivir con su padre y, en ocasiones, la amenaza se cumple. No permitas que vaya y venga a su antojo cada vez que surja un conflicto. Es muy desagradable para ambos padres y lo único que aprende el chico es a eludir los problemas. Los padres deberían sentarse con su hijo, a ser posible los dos, para discutir la situación y acordar el tiempo que puede pasar con cada uno de ellos, definiendo siempre los momentos de ida y de vuelta. Esto evitará que se marche ante el menor desacuerdo.

Los adolescentes deben aprender a negociar y comprometerse, y no limitarse simplemente a correr a los brazos del otro cuando las cosas no marchan como habían previsto.

Una madre con un chico adolescente que no vea a su padre con excesiva frecuencia, si es que lo hace alguna vez, necesita un modelo de rol paterno en la vida de su hijo, alguien de quien pueda aprender.

El único lado positivo, por llamarlo de algún modo, de una familia monoparental es que cuando los hijos están con el otro padre, se tiene tiempo para recargar las baterías.

Padrastros

La fusión de dos familias es una fuente inagotable de problemas que sólo con el tiempo, paciencia, comprensión y consideración puede mejorar. Y sí, es perfectamente posible que la nueva familia del padre o de la madre, o de ambos, puedan vivir en armonía.

Aunque dos adultos de familias diferentes puedan haberse enamorado locamente y quieran pasar el resto de su vida juntos, no significa necesariamente que los hijos los acepten sin más.

Cuanto más pequeños son los niños, más fácil resulta, pero en la adolescencia es más complicado. Al hijo adolescente de una familia puede disgustarle tener de pronto un hermanastro de nueve años que lo sigue a todas partes y hurga en su cuarto. Asimismo, ten por seguro que a tus hijos no les fascinará que otro adulto se instale en la casa que desde siempre había compartido con sus padres, o que de repente el espacio quede saturado con la llegada de otras dos o tres personas.

Los niños son leales a sus dos padres independientemente de quién haya sido el causante de la ruptura y de la causa. De manera que pueden mostrarse en extremo desleales hacia el nuevo padrastro. A esta edad tan crucial, a menudo los adolescentes se niegan rotundamente a que el recién llegado les diga lo que deben hacer o les impongan disciplina. No les gustan cómo son las nuevas celebraciones familiares ni «cómo han cambiado las cosas». Pueden sentirse celosos de la forma en la que su madre demuestra su afecto a su nueva pareja e hijastra o llegar a la conclusión de que su padre prefiere a sus nuevos hijastros que a ellos.

Una buena comprensión, tolerancia y reafirmación pueden contribuir a crear una nueva familia feliz.

Veamos algunos consejos para los padrastros:

- Siéntate y explícale a tu hijo lo que está sucediendo. Necesita saber dónde va a vivir y qué habitación ocuparán sus hermanastros. Muchos chicos se muestran reacios a compartir su cuarto o ver a su padrastro en la cama de sus padres o la silla de su madre. A ser posible, múdate de casa, un espacio neutral que podría significar un nuevo comienzo. Las viviendas familiares están demasiado saturadas de emociones y recuerdos.
- Discute con tu nueva pareja la forma en la que vas a tratar y disciplinar a tu nueva familia, dejando bien sentado que no habrá diferencias entre unos y otros. Los padres deben apoyarse mutuamente. Si es posible, el padre biológico debería disciplinar a sus propios hijos, sobre todo si son adolescentes, para evitar situaciones tales como «No tienes ningún derecho a decirme lo que debo hacer; no eres mi padre».
- No pretendas ser el padre o la madre de los hijos adolescentes de tu nueva pareja. Invítalos a comer al restaurante y comentad cómo funcionan las cosas para ambos y para los demás miembros de la familia.
- Los padrastros es más probable que se ganen el respeto de los hijos de su nueva pareja si se muestran amistosos y comprensivos en lugar de intentar sustituir inmediatamente a los padres biológicos.
- Los adolescentes están atravesando un período emocional muy conflictivo. Las hormonas son implacables. No esperes pues una demostración de afecto inmediata. Hay padrastros e hijastros que no llegan

a nunca a quererse, ni siquiera a gustarse o simplemente tolerarse.

- Los padrastros de niños más pequeños pueden sentirse muy resentidos con el modo en que el nuevo hermanastro adolescente acepta sin mayores problemas, en ocasiones con suma indiferencia, a su padre biológico y pasa la mayor parte del día delante del televisor.
- Si los adolescentes practican algún deporte o tienen un hobby, anímalos a seguir adelante.
- Anima a los hijos de tu nueva pareja a hablar de su padre o quizá de lo que solían hacer con él los fines de semana. Nunca lo critiques.
- Muéstrate comprensivo si los hermanastros no se llevan bien. El mero hecho de que dos adultos se quieran no significa que sus hijos reaccionen igual. Aun así, el respeto es fundamental.
- Si como padrastro observas que los hijos de tu nueva pareja están deprimidos o preocupados, habla con ellos en privado, con tranquilidad, para saber qué les ocurre. Dales a entender que pueden hablar siempre contigo y que confías en ellos.
- No trates de comprar su afecto con regalos o dinero.
- Cuando las cosas marchen mal y asome el temperamento, no asumas toda la responsabilidad y culpa. Todos en la casa están implicados, las nuevas relaciones llevan tiempo en consolidarse. Hay que hablar y comprometerse.

La adaptación a las nuevas relaciones es larga y a veces penosa, no sólo para acostumbrarse a la nueva situación, sino también a la pérdida del estilo de vida familiar anterior.

Buenos modales
y comportamiento

6

Los modales en la mesa

La finalidad de los modales en la mesa no es demostrar un conocimiento sofisticado de las reglas de etiqueta a la hora de comer, sino de comportarse con gracia y elegancia, y usar correctamente los cuchillos, tenedores y cucharas. Desengáñate, la vulgaridad en la mesa no sólo resulta desagradable para los demás comensales, sino que también incomoda al «perpetrador», que podría avergonzar sobremanera si se trata por ejemplo de la chica de los sueños de tu hijo.

El adolescente no tardará en salir a comer con sus amigos y novios o novias, o incluso más aterrorizante si cabe, con los padres de aquéllos. No permitas que tu hijo menosprecie el valor que los adultos atribuyen a los buenos modales. Justa o injustamente, la sociedad considera los modales en la mesa como altavoces que amplifican los valores de la persona.

Fran: «No sólo son los adultos que se fijan en los malos modales en la mesa. Salí a cenar con mi novio hace algunos meses y me desagradó la forma en la que comía. Desde luego no es la imagen más seductora contemplar a tu novio escupiendo un trozo de pizza a medio masticar que aterriza en tu plato al intentar hablar con la boca llena. ¡Me enojé con él!, lo cual en mi opinión es comprensible».

Comer en casa

Esta cuestión se menciona varias veces en este libro, pero la verdad es que no nos cansaremos de repetir que el mejor momento, y a menudo el único, en que podrás hablar con tu hijo adolescente y también con los demás es en torno a la mesa durante la cena. Aunque sólo sean tres o cuatro veces a la semana y aunque se trate simplemente de comida rápida a domicilio, el tiempo que pases con ellos es muy valioso.

Es muy probable que cuando tu hijo, que solía mostrar unas maneras bastante aceptables en la mesa, llegue a la adolescencia, sus modales empeoren. El modo en que empieza a sostener el cuchillo y el tenedor parece haber retrocedido en el tiempo. Asimismo, ahora, sin venir a cuento, se encorva sobre la mesa o apoya la cabeza en la mano. No te molestes en reprenderlo; unos cuantos consejos deberían ser suficientes para corregir su comportamiento. Es más importante que conversen contigo en la mesa a que hagan gala de una impecable etiqueta. Claro está que sería extraordinario conseguir ambas cosas, pero rememorando las palabras del soberbio clásico cinematográfico *La extraña pasajera*: «No pidamos las estrellas cuando tenemos la luna».

Aun así, cuando comparta la mesa contigo, deberías recordarle con amabilidad las cuestiones siguientes:

- Siéntate erguido, con la espalda recta y los dos pies apoyados en el suelo. Los adolescentes suelen encorvarse y cruzar las piernas.
- Ponte la servilleta en el regazo o anudada alrededor del cuello si vas a comer, por ejemplo, espaguetis. Podrías mancharte la camisa.
- Hay codos y codos. Apoyados en el borde de la mesa es correcto; levantados, flotando sobre la mesa, no.
- Es de mal gusto juguetear constantemente con los cubiertos.
- A menos que te indiquen lo contrario, espera hasta que todos tengan la comida en la mesa para empezar.
- Come con la boca cerrada y no hables con la boca llena.

- No bebas mientras tengas comida en la boca ni sorbas la bebida.
- Pon la mantequilla, mermelada, etc. en el plato antes de untarla en el pan (o en el platito adicional si lo hay).
- Llévate a la boca un pedacito de pan, no el panecillo o la rebanada entera.
- Cuando todos estén sentados, ofrece la cesta del pan primero a las damas o invitados antes de servirte.
- Pide que te pasen las cosas en lugar de estirar el brazo para alcanzarlo o inclinarte sobre alguien.
- No señales a otro comensal ni gesticules con un cubierto en la mano.
- Nunca te lleves el cuchillo a la boca para comer; hazlo siempre con el tenedor.
- No uses el tenedor a modo de pala.
- No te lleves a la boca una cantidad excesiva de comida de una sola vez; tendrás dificultades para masticarla.
- Baja el cuchillo y el tenedor, apuntando hacia el plato, mientras masticas.
- Si quedan dos patatas en la fuente, por ejemplo, no las tomes sin antes preguntar si alguien quiere más.
- Al terminar, pon juntos el cuchillo y el tenedor, paralelos y apuntando al centro del plato.
- Coloca la servilleta usada junto al plato (o sobre el platito adicional si lo hay).
- Agradece la comida al cocinero o cocinera.
- Elógialo por todo o parte del ágape (si por ejemplo la carne estaba dura como la suela de un zapato, realiza un comentario sobre las deliciosas patatas asadas).
- Sustituye «¿Puedo levantarme por favor?» por «¿Os importaría que me levantara?».
- Ayuda a retirar los platos.

Aunque a estas alturas tu hijo ya debería saber cómo se come correctamente, si tienes que recordárselo, en lugar de una orden, «No comas con...», elige algo más moderado: «Recuerda comer con...».

Tareas domésticas

A medida que vaya haciéndose mayor, enséñale a lavar y secar la vajilla y las sartenes, a tirar los restos de comida a la basura y a limpiar las encimeras.

Cuanto más se acostumbre a contribuir a los quehaceres domésticos, más lo incluirá en su rutina diaria. Sin embargo, si de repente le pides que ponga la mesa o que lave los cacharros sin experiencia previa en «ayudar», prepárate para enfrentarte a una expresión de asombro y de disgusto acompañada de un gruñido de incredulidad: «¿Eh?»

Mantén la calma y explícale que de ahora en adelante va a contribuir en las tareas domésticas. Nunca es demasiado tarde para empezar a echar una mano en las tareas cotidianas, aunque tengas que guiarlo en sus primeros intentos. Si no ha lavado bien los platos, deberá hacerlo de nuevo. En lugar de iniciar un monólogo acerca de por qué debería ayudar más en casa, pues podría ser culpa tuya no haberlo acostumbrado de pequeño, háblale de los sucesos del día, de películas o de deporte. Puede ser otro buen momento para conversar con tus hijos cualquiera que sea su edad. Desde luego, si tienes más de un hijo adolescente, cuando sepan lo que deben hacer, pueden hacerlo juntos sin tu ayuda. Recuérdales que las encimeras no han quedado bien limpias, por ejemplo, tendrán que hacerlo de nuevo. Es posible que en el futuro, cuando lleven una vida independiente en un piso compartido o se hayan casado te agradezcan habérselo enseñado.

Comportamiento en el restaurante

Cuando tu hijo haya alcanzado la adolescencia, es evidente que ya podrás llevarlo a un restaurante sabiendo que se acabaron las rabietas y los corrèteos entre las mesas después de comer.

Aun así conviene recordar algunas cuestiones para asegurarse de que la velada discurrirá sin mayores problemas. Aunque lógicamente no hace falta que le leas esta lista, coméntaselo cuando sea necesario.

- Habla en voz baja en el restaurante.
- Decide quién se sentará en cada silla y delante de quién antes de entrar, dejando claro que no habrá cambios una vez en la mesa.
- Di «Buenos días» o «Buenas noches» al camarero mirándolo a los ojos.
- Da las gracias cuando te recojan el abrigo.
- No juguetees con los cubiertos, la sal o la pimienta mientras esperas que te sirvan o durante la comida.
- Mira al camarero a los ojos al encargar el menú y di siempre «Por favor».
- Llévate a la boca un pedacito de pan; no el panecillo o la rebanada entera.
- Decide antes de ir al restaurante si tu hijo podrá beber cerveza o vino (mezclado con agua o gaseosa), díselo para que no haya discusiones llegado el momento.
- Pide que te pasen la mantequilla, etc.; no alargues el brazo ni te inclines sobre otro comensal para alcanzarla.
- Siéntate erguido, con la espalda recta y sin apoyar la cabeza en las manos o la mesa.
- Apaga los teléfonos móviles. Nada de mensajes durante la comida.
- No empieces a comer hasta que todos estén servidos.
- Recuerda decir siempre «Por favor» y «Gracias».
- No saques a colación ningún tema que pudiera dar lugar a discusiones.

- Habla con tu hijo, pero nunca de la escuela.
- Si la compañía de tu hijo y los demás comensales ha sido grata, agradéceselo.

Restaurantes y cenas formales

A los quince o dieciséis años es más que probable que a tu hijo lo inviten a ocasiones más formales, tales como el decimoctavo cumpleaños de la hermana de un amigo, una boda familiar o un restaurante elegante con los padres de un amigo o amiga.

Explícale que existen algunas reglas de cortesía que sin duda le conferirán la etiqueta de «educado» y «cortés», el tipo de reputación que puede resultar decisiva con las chicas a la hora de que éstos te acepten de buen grado como novio, o con los padres para que les satisfagas como novio de su hija. Por alguna razón, los padres que consideran al novio de su hija una persona educada y de buenos modales se muestran menos estrictos con la hora de regreso a casa por la noche, el famoso y temido «toque de queda paterno». Recuérdale la regla de abrir la puerta y «las damas primero» y, si no hay ningún camarero a la vista, recoger su abrigo. Si quieren causar una excelente impresión en la mesa, los hombres deberían retirar la silla para que se sienten las mujeres.

Cuando se enfrente a una serie de cuchillos y tenedores a cada lado del plato, debería empezar por el exterior y continuar, en los platos sucesivos, hacia el interior (si ha visto la película *Pretty Woman*, recuérdale lo que le enseña el director del hotel a Julia Roberts). Deberá esperar a que todos en la mesa hayan sido servidos para empezar a comer.

Cuando todos estén listos para marcharse, los hombres deberían ayudar a las mujeres a retirar la silla y recoger los abrigos. Al salir del restaurante, los chicos deben agradecer y estrechar la mano a los padres y, si es apropiado, besar a la madre en la mejilla.

Aunque lo cierto es que si se lo mencionas a tu hijo es posible que ponga los ojos en blanco, se muestre desconcertado y diga: «Por favor papá, seamos serios». La atención y el elogio recibidos en una primera ocasión, lo estimulará a repetirlo en la siguiente.

Circunstancias especiales

Algunos alimentos requieren una forma especial a la hora de comerlos. Coméntaselo con antelación y le evitarás una situación embarazosa.

Pasta larga (espaguetis, etc.). Sujeta el tenedor con la mano derecha y una cuchara con la izquierda, y toma unas cuantas hebras de pasta. Luego apoya la punta del tenedor en la cuchara y enrolla la pasta hasta formar una especie de ovillo apto para llevarse a la boca. El secreto reside en no enrollar demasiadas hebras.

Espárragos. Los espárragos se comen tomándolos de uno en uno con los dedos pulgar e índice, a modo de pinzas, con la mano derecha. El extremo por el que se sujetan no se suele comer, pues es demasiado leñoso. Ve mojando el espárrago en la salsa y cómetelo.

Alcachofas al horno. Separa las hojas una a una, mójalas en la salsa, si la hay, y cómete la carne más clara, que es la tierna. Una vez retiradas todas las hojas duras, usa el cuchillo y el tenedor para comer el corazón.

> Recuerdo que en una cena de celebración del veintiún cumpleaños de una amiga, cuando yo tenía diecisiete, me encontré una alcachofa al horno como entrante y no tenía ni idea de cómo comerla. Miré discretamente a los demás comensales pero, para mi sorpresa, estaban en la misma situación que yo. Afortunadamente, alguien se fijó en los anfitriones y los demás seguimos su ejemplo.

Vino

Ayuda tu hijo a mostrar respeto por el vino y las bebidas alcohólicas explicándole sus diferentes cualidades y características, y los vinos que se suelen beber con diferentes alimentos. No compliques las cosas: blanco para el pescado y tinto para la carne.

Explica y demuestra cómo se abre correctamente una botella de vino pues, de lo contrario, acabará haciéndolo como lo hace mucha gente: girando la botella en lugar del sacacorchos.

Cuanto mayores sean sus habilidades sociales, más seguro de sí mismo se sentirá en distintas situaciones. Es muy importante abrir correctamente una botella de vino o champán.

COPAS DE VINO

Todos sabemos que los adolescentes (y también nosotros en algunos casos) no tendrían ningún problema en beber directamente de un brik o una botella de vino. Aun así, conviene conocer las alternativas correctas.

Puestos a aprender, que aprenda a hacer bien las cosas.

Hay tres tipos principales de copas de vino:

- **Copa larga de vino o champán.** Larga y estrecha, parecida a una flauta.
- **Vino blanco.** En forma de tulipán o una versión más pequeña de la copa de vino tinto.
- **Vino tinto.** Casi siempre más grande y redondeada, con un receptáculo de mayor tamaño.

Explícale que la forma de la copa puede influir en el sabor de un buen vino, algo de lo que probablemente no tendrán que preocuparse durante bastante tiempo.

SERVIR EL VINO FRÍO

Sin entrar en excesivos detalles, explica a tu hijo que, por regla general, el vino blanco y el rosado hay que servirlos fríos, mientras que la mayoría de los vinos tintos se sirven a temperatura ambiente.

Se sujeta la botella cerca de la base entre el pulgar y los demás dedos. La botella no debe tocar la copa, y el vino debe caer en el centro de la misma hasta una altura no superior a dos tercios, que habitualmente coincide con la parte más abultada de la copa. Al retirar la botella, se gira un poco para evitar el goteo.

En la mesa se sirve primero a las damas y los comensales de mayor edad, y quien hace los honores, al final.

ABRIR BOTELLAS DE VINOS ESPUMOSOS Y CHAMPÁN

Todos hemos visto a los ganadores en el podio de la F1 agitando una enorme botella de champán y rociando a la multitud, pero en el caso de que tu adolescente no haya ganado un Gran Premio, es aconsejable enseñarle a abrirlas sin desperdiciar su contenido.

¡Demasiado bueno para malgastarlo!

- Enfría la botella durante tres horas en el frigorífico o media hora en un cubo con hielo.
- Retira el revestimiento de aluminio del corcho.
- Desenrosca el alambre y quítalo.
- Sujeta el corcho con firmeza con una mano, y la base de la botella con la otra en un ángulo de 45°.
- Desvía la botella de los demás comensales y gira suavemente la botella (¡sí, la botella!) hasta que el corcho empiece a ceder. No lo extraigas inmediatamente con un gran «pum»; espera a oír un ligero siseo y retíralo lentamente.

SERVIR VINOS ESPUMOSOS Y CHAMPÁN

- Sostén la copa inclinada y vierte el vino o champán en el lateral para evitar la formación de espuma.
- Inicialmente, vierte una pequeña cantidad en cada copa, y luego, cuando la espuma desaparezca, sigue llenándola hasta tres cuartos.
- Para evitar goteos, gira un poco la botella al ponerla en pie.

Cerveza

- Sostén el vaso o la copa inclinada y vierte la cerveza contra el lateral para reducir la cantidad de espuma (dos dedos está bien).

Sam: «De muy pequeño me enseñaron a abrir una botella de vino y a servirlo. Parece una tontería, pero siempre está bien sentarse a la mesa y saber hacerlo correctamente».

7

Comportamiento respetuoso

Cómo comportarse con los demás

Adultos. Respeto

Todos los adultos, independientemente de su posición, sexo, color o raza, deberían recibir el mismo trato respetuoso por parte de todos, ya sean niños, adolescentes o adultos. Pero en ocasiones los niños y adolescentes pueden comportarse de un modo diferente ante quienes consideran que no están investidos de demasiada autoridad, como por ejemplo, recoger la bandeja con el almuerzo en la escuela sin decir «Hola» o «Gracias» a la camarera.

Nuestro ejemplo será copiado por los niños, de manera que la forma en la que tratemos a los camareros, cajeras del supermercado y vendedores a domicilio influirá decisivamente en el comportamiento de tu hijo.

Si cuentas con la colaboración de una asistenta del hogar, insiste en que tu hijo la trate con respeto y no como un esclavo obligado a hacerle la cama y prepararle la comida.

Una amiga mía fue azafata de líneas aéreas durante muchos años y esto fue lo que sucedió una vez al servir a un adolescente. Cuando respondió «Sí, tomaré una galleta», ella replicó con suma cortesía: «¿No crees que podrías decir "gracias"?». La madre, desconcertada, que lo había oído, intervino de inmediato: «No tienes por qué darle las gracias; es una simple camarera». Increíble, ¿verdad?

Los adultos que tienen que tratar con adolescentes a diario y que hacen que su profesión sea cada día más compleja y su imagen esté más deteriorada a causa de la falta de respeto que reciben son los profesores. Ni comprendo ni me cabe en la cabeza que niños de cinco años se atrevan ya a proclamar: «Conozco mis derechos». Pero ¿y qué hay del derecho del docente a enseñar a niños dispuestos a seguir simples instrucciones y mostrar respeto por un adulto?

Asegúrate de que tu hijo respete a sus profesores; es fundamental. Si en algún momento se siente acosado psicológicamente por alguno de ellos, debería comentártelo en lugar de hacer valer «sus derechos» en el aula.

Asimismo, y aunque a más de uno pueda parecerle desfasado, los adolescentes deberían respetar a sus mayores, sujetando la puerta abierta al entrar en el ascensor, haciéndose a un lado en un pasillo para dejarlos pasar, cediéndoles el asiento en los transportes públicos y mostrándose corteses y educados con ellos en cualquier situación. Si se encuentran con un adulto al que conocen, en lugar de saludarlo con un gesto de la cabeza o de mirar a otro lado, es adecuado detenerse y hablar con él aunque sólo sea un minuto.

Katherine: «Trabajo por la tarde, algunos días a la semana, sirviendo mesas en un bar-restaurante para costearme la universidad. Me cuesta creer lo maleducadas que pueden ser algunas personas. Restallan los dedos para llamar mi atención, casi nadie dice "gracias" o "por favor". Un día una chica pidió "cinco combinados fuertes". Al preguntarle de qué los quería, respondió: "De vodka, claro". Le dije que teníamos quince variedades de combinados fuertes con vodka. Dijo: "Cualquiera". Así que encargué al barman cinco combinados de vodka y Tabasco, y que no se quedara corto con el Tabasco».

Simple cortesía

En nuestra vida ajetreada, a menudo se ignoran las expresiones de simple cortesía. Tenemos prisa y no podemos perder un segundo en «bobadas». Pero lo cierto es que resulta muy fácil hacer la vida más agradable a nuestros semejantes (y no por eso vamos a perder el autobús). En el supermercado por ejemplo. Quien más quien menos paga en caja con un «Gracias» y «Adiós» ininteligible y sin ni siquiera mirar a los ojos del empleado. O entramos sin sujetar la puerta abierta a la persona que viene detrás para que no le dé en las narices.

Las siguientes «simples cortesías» son fáciles de aprender si se explican como es debido y se predica con el ejemplo. Ten la seguridad de que serán muy apreciadas por el destinatario.

«Por favor» y «Gracias»

Son dos palabras insustituibles que niños, adolescentes y adultos deberían usar en cualquier situación. Parece tan obvio que en realidad debería ser innecesario comentarlo aquí.

Los adultos y adolescentes son ante todo quienes mejor deberían saberlo, y aun así lo olvidan. No coloques a tu hijo en una situación embarazosa con aquella preguntita de siempre: «¿Qué se dice?». No hace falta. Bastará un discreto recordatorio de decir «gracias» o «por favor» cuando la ocasión así lo requiera.__

También es muy importante mirar a los ojos al decirlo, tanto si se trata de los padres, empleados de un comercio, profesores o camareros. Por ejemplo, si una chica está mirando vaqueros en una tienda y se le acerca una empleada, sería de muy mala educación espetarle: «¿Lo tienes en la talla 38?» sin mirarla ni añadir «por favor», o también no mirar al camarero cuando nos sirve el menú. ¿Cuántas veces seguimos hablando con nuestros amigos murmurando un indiferente «Gracias», o peor, no decimos nada?

Fomenta estas actitudes y enséñalas en casa. Aunque sólo le sirvas la cena a tu hijo, en su regazo, en el sofá, delante del televisor, debería mirarte y decir: «Gracias».

Compórtate siempre educadamente tanto con tus hijos, como con los empleados del supermercado o camareros, y expresa tu agradecimiento con una sonrisa y un gesto amistoso a otros conductores cuando te cedan amablemente el paso. Además del evidente uso de «gracias» y «por favor» en estos casos, las oportunidades de aplicar estos términos en la escuela son interminables.

Por ejemplo, cuando tu hijo se apea del autobús escolar, volverse hacia el conductor con una sonrisa y decir «Muchas gracias, adiós» es muy probable que lo haga destacar entre las docenas de chicos que pasan sin abrir la boca.

Tu hijo debería acordarse de dar las gracias a la señora que lo atiende en el *self service* del restaurante de la escuela, y también, aunque le cueste esfuerzo, al profesor que ha organizado una excursión, una salida al museo, al cine o una exposición de arte. Los profesores dedican mucho tiempo e interés a los proyectos escolares, y un simple «gracias» puede recompensarlos. Asimismo, el aprecio del profesor hacia el alumno en cuestión puede tener repercusiones positivas en el futuro. Sin duda alguna recordará y apreciará su gratitud.

Cartas de agradecimiento...

En esta era de teléfonos móviles, e-mails y mensajes de texto, el arte de escribir una carta de agradecimiento parece casi perderse en la memoria de Dickens («Siempre que alguien dé las gracias, ¿importa realmente cómo lo haga?»).

En realidad, para el destinatario del mensaje de agradecimiento, sí importa. Poco esfuerzo y tiempo requiere un «Grs x CD. Tq María». Sin embargo, una breve nota o tarjeta manuscrita expresa dedicación y recuerdo (aun cuando esa «dedicación» y ese «recuerdo» hayan sido fruto de la insistencia de papá). No es algo exclusivo de los niños pequeños. Todo el mundo debería acostumbrarse a hacerlo.

Dile a tu hijo si hay algo especial con relación a la persona a la que está escribiendo para poder mencionarlo en la carta, como por ejemplo: «Me han dicho que pronto te mudas de casa. Mucha suerte». Anímalo a interesarse por ella: «¿Cómo estás abuelita? Espero que te encuentres bien y verte pronto». Preguntar por el bienestar de alguien, ya sea por carta o verbalmente, demuestra interés.

Si los padres de un amigo han invitado a tu hijo adolescente a pasar la noche en su casa, a una fiesta o una cena, debería enviar una breve nota de agradecimiento.

Si lo deseas, puedes comprar papel de carta o tarjetas de colores y bolígrafos o rotuladores de escritura dorada o plateada para que le resulte más atractivo, sobre todo a tu hija.

... y cartas cotidianas

Aunque escribir cartas casi se ha convertido en una «antigüedad» para la generación de tu hijo, fomenta su uso de vez en cuando. Los mensajes de texto están destinados a una escritura rápida y que sólo dura hasta que se borran, mientras que las cartas pueden durar una eternidad. Explícale la sensación de bienestar y satisfacción que se experimenta al recibir una carta manuscrita. Merece la pena el es-

fuerzo de enviarlas. Los abuelos, tíos, amigos y familiares que viven lejos se sentirán encantados no sólo por las noticias que les cuentas, sino también por saber que les has dedicado un tiempo exclusivo en tu ocupadísima vida diaria.

¿Y qué decir de las cartas de amor? Si esta generación deja de escribir cartas, qué triste será para ellos llegar a nuestra edad y no tener la ocasión de echar la vista atrás con risa-lágrimas-lástima-emoción al releer sus viejas misivas de amor. Anima a tu hijo a enviar un breve escrito a su pareja cuando esté flotando en los brazos de Cupido o al término de una pelea entre enamorados.

«Perdón»

Esta palabra tiene muchos usos: atraer la atención de otra persona si se le quiere preguntar algo («Perdón, ¿sabe dónde está la parada del autobús?»), para interrumpir una conversación («Perdón, pero tengo que marcharme o perderé el tren»), etc.

También se utiliza como cortesía. Por ejemplo, cuando necesitamos pasar cerca de alguien en un espacio congestionado, el transporte público o la cola del supermercado: «Perdón, tengo que pasar ¿Me permite?». Asimismo, los niños y los adolescentes deberían acostumbrarse a excusarse al estornudar, toser o pasar apresuradamente cerca de otra persona.

Toser y estornudar

En ocasiones, algunos modales que nos enseñaron de niños se pierden en la transición a la adolescencia. Convendría recordarlos. Hay que cubrirse la boca al toser, y la boca y la nariz al estornudar, a ser posible con un pañuelo. Es aconsejable habituarse a hacerlo solo o en compañía, tanto en el interior como en el exterior, y luego decir: «Perdón».

A nadie le gusta sentarse a la mesa a comer, o estar haciendo cola, o incluso caminar por la calle mientras alguien, niño o adulto, le estornuda o le tose encima. Es antihigiénico y extremadamente desagradable.

Explica a tu hijo que si está sentado a la mesa deberá volver la cabeza si siente la necesidad de toser o está a punto de estornudar. No obstante, si tiene comensales a uno y otro lado, debería echar la silla hacia atrás para toser o estornudar «fuera de la línea de fuego» y luego decir: «Perdón».

Hipo y eructos

Los adolescentes parecen mostrar una gran satisfacción pensando que parecen más adultos si eructan en la mesa. Y lo suelen hacer porque se dan cuenta de que habitualmente provoca la risa de su hermanito más pequeño o, por desgracia, de papá o mamá. Si tu hijo eructa en la mesa, sin duda lo hace para llamar la atención. No te rías ni tampoco lo castigues con una sonora reprimenda acerca de su vulgaridad. Di simplemente: «Por favor, no lo hagas en la mesa» y procura que disfrute de la suficiente atención conversando con él. Fuera de la mesa, diles a tus hijos pequeños que ignoren a su hermano cuando eructa.

Si los eructos continúan con excusas tales como «es la cerveza o la cola», prohíbele las bebidas gaseosas antes y durante la comida. Remitirán, ya sea porque estaban justificados o porque realmente desean tomar su cerveza o su cola.

«¿Cómo?», no «¿Qué?»

Se explica por sí mismo. En lugar de «¿Qué?», enséñale a decir «¿Cómo?» (o «¿Perdón?». Es mucho más educado. En la adolescencia los «qués» a secas son muy frecuentes. «Te he preparado tu pollo asado favorito para cenar» «¿Qué?»; «Que pases un buen día en la escuela. Nos veremos por la tarde» «¿Qué?». Conmínalo a decir «¿Cómo?» o «¿Perdón?» si realmente no ha oído lo que has dicho, o señálale que lo que dijiste era una afirmación, no una pregunta.

Estrechar la mano

El origen de estrechar la mano hay que buscarlo en la extensión del brazo derecho para demostrar que se estaba desarmado. Actualmente, las investigaciones psicológicas indican que incluso el más breve contacto físico con otra persona en una actitud evidentemente no agresiva mejora la disposición mutua de dos desconocidos, reforzando la creencia de que ambos son honrados y que están dispuestos a ayudarse.

Asimismo, estrecharse la mano es una forma educada aceptada, ideal por ejemplo, a partir de los quince años, para usar en la escuela cuando se ha hecho enojar a un profesor. Dile a tu hijo que lo vea en privado y excuse su comportamiento, ofreciéndole la mano. Es de esperar que la excusa sea aceptada y que quede realmente impresionado por su madurez.

CUÁNDO ESTRECHAR LA MANO

Se suele estrechar la mano como un saludo normal entre amigos adultos. Enseña a tu hijo a hacerlo cuando le presenten a un adulto. Incluso los adolescentes, a partir de los dieciséis años, deberían estrecharse la mano la primera vez que se saludan.

CÓMO ESTRECHAR LA MANO

Si no lo has hecho antes, explícale ahora que, como dice el refrán: «Nunca se tiene una segunda ocasión para causar una buena primera impresión». Acertado o no, la verdad es que muchos de nosotros juzgamos el carácter de una persona por su forma de estrechar la mano. Para mí y para muchos otros, un apretón débil y una mirada desviada equivale a poca personalidad e ineficacia. Pero el contacto visual y un apretón firme expresa franqueza, honradez, confianza y capacidad. Esto no quiere decir que seamos perfectos, pero sí que nuestra primera impresión es positiva y que podría marcar la diferencia entre conseguir o no un empleo. Incluso las mujeres deberían estrechar la mano con firmeza en lugar de ofrecer un hatillo flojo de dedos.

Enseña a tu hijo y a tu hija lo siguiente:

- Extender la mano derecha.
- Mirar a los ojos del interlocutor.
- Sonreír.
- Es esencial encajar toda la palma de la mano en la del interlocutor y apretar la mano con firmeza. «Firme» no significa «quebrar los huesos».
- Presentarse si es la primera vez que se saludan.
- Bastan dos o tres sacudidas, no demasiado rápidas.
- Si la mano está algo húmeda por el sudor, se debería secar discretamente. Sin embargo, si acaba de saludar a alguien que tenía la mano sudorosa, no hay que secarse inmediatamente en el pantalón o la camiseta aunque pudiera ser una reacción instintiva.

Sam: «En ocasiones, durante un partido de baloncesto observo que hay muy buenos jugadores en el equipo contrario, de firme complexión, dotados de una excelente técnica y de aspecto atractivo, es decir, el tipo de personas a las que respetarías. Pero luego, después del partido, si te estrechan la mano con debilidad, toda esa aura tan especial se desvanece».

Besos en la mejilla

La otra forma de saludar a un amigo es besándole en ambas mejillas. Suele ser habitual entre chicos y chicas adolescentes, y también entre las chicas. En realidad, aunque es algo que siempre han hecho las mujeres, en ocasiones sin ni siquiera rozarse, sino con un simple «muá, muá, ¿vamos a comer?» y un par de besos al aire, nada impide que también puedan hacerlo los adolescentes entre sí y en algunos casos incluso con tus amigos. En cualquier caso, se trata de un leve roce pues, a decir verdad, a nadie le apetece un beso húmedo y baboso en la mejilla.

Poner y recoger el abrigo

Los chicos y las chicas deberían, sin tener que pedírselo, ayudar a las damas invitadas e incluso a los varones a recoger sus abrigos. Si no está ya acostumbrado a hacerlo, enséñale a tu hijo a sostener el abrigo abierto para que la persona pueda deslizar fácilmente las manos y luego a acomodárselo en los hombros. Asimismo, es un signo de buena educación ayudar a quitarse el abrigo a una dama al llegar. Es asombrosa la cantidad de hombres que, con la intención de ayudar, te sueltan un verdadero amasijo de tela arrugada en las manos (lo que antes era tu abrigo) para que te las compongas como buenamente puedas.

La reacción inmediata de agradecimiento (y de sorpresa) que recibirá de parte de la señora o de la novia no pasará desapercibida.

Abrir la puerta y «las damas primero»

Tus opiniones particulares sobre el feminismo determinarán si crees que tus hijos deben o no seguir mostrando ciertas cortesías tradicionales hacia las mujeres. Personalmente creo que, aún hoy, muchas de ellas sabrán apreciarlas, y seguramente también en el futuro. No enseñarlas es situar a tu hijo en una posición de desventaja; sus novias o posibles jefas en el trabajo podrían tenerlas en alta estima y sentirse halagadas.

Sería estupendo que le hubieras inculcado estos principios desde una tierna edad, pero si todavía no lo has hecho, nunca es demasiado tarde. Enséñale a sujetar la puerta abierta para que pase un adulto, ya sea en el supermercado, el ascensor o el coche, y a mostrarse amable si es él el destinatario del cumplido. He oído quejarse a muchos chicos de lo que dicen ellas: «Puedo hacerlo yo solita, ¿te enteras?» cuando les han abierto una puerta para que pasaran. Basta una sonrisa y un «Muchas gracias», y todo marchará mejor.

Sin embargo, si se trata de una puerta giratoria, aparentemente debería ser el hombre el primero en entrar para que continuara girando, y en el caso de un ascensor, quien accediera al interior y mantuviera la puerta abierta para que entraran los demás.

Explícale también que si coincide con un miembro del sexo opuesto en una puerta o al dirigirse al empleado en una tienda, por ejemplo, le ceda el turno.

Responder al teléfono

¡¿Responder al teléfono?! Probablemente estarás pensando: «¿Un adolescente que no puede responder al teléfono? ¡Pero si nunca lo suelta!». Y tienes toda la razón, pero ¿has llamado alguna vez a un número al que responde un adolescente? ¡Qué horror!

Lejos han quedado los días de atender al teléfono con una vocecita terriblemente mojigata: «213 79 11, Casa de los Sres. Pérez, ¿dígaméee?», y por motivos de seguridad, ya nunca se menciona el nú-

mero al responder. De manera que no es tan difícil decir: «¿Diga? ¿Con quién hablo?». Y en el improbable caso de que la llamada no sea para tu hijo, pero sea alguien a quien conoce, no estaría de más un «¿Qué tal está?» o «Mamá me ha dicho que ha estado de vacaciones. ¿Lo pasó bien?». Sabemos que los adolescentes son «capaces» de hablar por teléfono; las facturas quilométricas lo demuestran y, en consecuencia, lo menos que pueden hacer es un pequeño esfuerzo para hablar con tus amigos cuando llaman (y tienen la suerte de encontrar la línea desocupada).

Procura que haya siempre papel y bolígrafo junto al teléfono, pues las probabilidades de que tu hijo recuerde un mensaje son mínimas.

Compromiso

Si dices que vas a hacer algo, hazlo. Tu hijo aprenderá de tu enfoque del compromiso al igual que de otras muchas cosas. De manera que si te has comprometido a hacer una cosa a una hora determinada, procura no fallar.

Debe darse cuenta de lo importante que es poder confiar en alguien y que alguien confíe en que harás algo cuando te han dicho que lo hagas (apuesto que también tú conoces a muchos adultos que deberían aprenderlo.) En casa deberías poder hacer comentarios como: «Tengo que salir, pero por favor pon la pizza en el horno a las seis. Lo harás, ¿verdad?». Si se olvida, la consecuencia será «no pizza para cenar». Por simple que sea tu solicitud, si la cumple, dale las gracias.

Aunque te haya fallado un par de veces, evita etiquetarlo de «indigno de confianza» diciendo, por ejemplo: «Eres igual con todo, no se puede confiar en ti».

Insiste una vez más, explícale por qué se le pide algo y lo acabará comprendiendo (y haciendo).

A menudo los adolescentes se muestran disgustados al tener que renunciar a su tiempo libre para cumplir un compromiso anterior (un partido de fútbol en la tele o una representación teatral). De pronto, al día siguiente ya no desean formar parte de aquel «estúpido» equipo ni hacer teatro. Dile a tu hijo que él elige, pero que no está nada bien dejar plantados en el último minuto a quienes dependen de él. Deberá acudir y explicar a los demás, después del partido o del ensayo, las razones que lo han impulsado a no continuar.

Los adolescentes que no aprenden a cumplir sus compromisos se convierten en adultos que decepcionan constantemente a sus amigos y compañeros de trabajo. Incluso aquéllos acabarán hartándose de oír que vas a acompañarlos a tal o cual sitio para luego decidir que «no me apetecía ir». Ni qué decir tiene que todos tenemos derecho a cambiar de opinión, pero avisando siempre con antelación a las partes implicadas.

Cuanto más digno de confianza seas como padre, más natural le resultará a tu hijo cumplir con sus compromisos. Así pues, piénsalo bien antes de comprometerte a algo si dudas de que realmente puedas hacerlo.

Destaca la importancia de ser puntual, ya sea en la escuela o a una cita. Debe comprender que es muy descortés llegar tarde, pero que si es irremediable, pida siempre disculpas.

Katherine: «Mi madre me pidió que pusiera sábanas limpias en la cama de invitados mientras salía de compras. Tenía toda la intención de hacerlo, lo que ocurrió es que no era mi prioridad número uno y mamá regresó antes de lo previsto. Nunca olvidaré su reacción cuando vio que la cama no estaba hecha. Vino a verme, y cuando se enfada con nosotros, lo cual para ser sincera no es demasiado frecuente, nunca grita, sino que su voz adquiere un timbre extremadamente grave (¡asusta!). Dijo con firmeza: "Katherine, cuánto siento que me hayas decepcionado. Confié en que lo harías. No vuelvas a fallarme". ¿Y sabes qué? No volví a hacerlo».

Excusas

No hace falta decir que habrá veces en que tu hijo adolescente tendrá que pedir excusas por algo que ha dicho o ha hecho. La forma de decir «Lo siento» o «Perdóname» es crucial para el destinatario. Espetarlo de carrerilla y mirando al suelo es un «no» incuestionable. Es como decir: «En realidad no me lamento haberlo dicho y por lo tanto mis excusas son absurdas».

«Lo siento» es una expresión difícil de asumir, pues requiere humildad y propinar una rotunda patada en el ego y el orgullo, y en más de una ocasión, durante la adolescencia, tu hijo tendrá que utilizarla, por ejemplo, cuando el balón ha caído en el jardín del vecino, se ha roto una promesa, se ha comportado indebidamente o ha llegado tarde. Es, pues, aconsejable que tenga el mejor ejemplo y que este ejemplo seas tú. También durante la adolescencia de tu hijo deberás excusarte mil veces, tal vez por haber perdido los nervios y haberle gritado o por haberte mostrado especialmente desagradable (en efecto, también nosotros podemos ser muy desagradables cuando nos lo proponemos).

Si la sola idea de tener que pedir perdón cara a cara constituye un problema insuperable para él, sugiérele que lo haga por escrito. Y volviendo al balón de fútbol, ¿por qué no presentarse con un ramo de flores para la señora de la casa? (que haya comprado con su dinero, claro).

Hace poco estuve hablando con mi hija Katherine acerca de lo urgente que era que terminara las ilustraciones para este libro:

—Katherine, no es broma, tengo que entregar el borrador esta semana.

—Está bien mamá, las haré.

—Sí, ya sé que las harás, pero llevas diciéndomelo desde hace tres meses.

—No te preocupes, hay tiempo.

—En realidad ni «está bien» ni «hay tiempo», Katherine. Tengo un contrato. Además, a ti también te pagan. También tienes una responsabilidad.

—No pasa nada, no te pongas nerviosa.

—No, sí que pasa algo. Necesito esos dibujos. Llevan pidiéndomelos hace meses, y aunque dices que vas a hacerlos, ¡nada de nada!

—De acuerdo.

Llegados a este punto, estallé y grité: «Pues no, no estoy jod......nte de acuerdo».

Dicho esto colgué el teléfono con un trompazo y me eché a llorar. Me sentía tan avergonzada que le dije a mi marido que la llamara y le pidiera perdón en mi nombre. Al día siguiente llamé yo y me excusé de nuevo.

Respeto en casa

Los adolescentes son miembros de la familia y mientras viven con sus padres en casa deberían contribuir en los quehaceres domésticos. Como sabrá cualquier padre con hijos de esta edad, les encanta refugiarse en una habitación oscura en medio de una montaña de latas vacías, tazas de café con leche a medio llenar, papeles arrugados (la papelera suele estar invariablemente limpia), envoltorios de chicles y bolsas de patatas fritas esparcidos por el suelo.

Una queja habitual de los padres es que sus hijos son muy perezosos y no ayudan en nada en casa. Si se les enseñó a hacerlo de pequeños, lo harán cuando se les pida. Lo que ocurre es que en la adolescencia se encierran en su habitación durante horas y nadie consigue sacarlos de allí. Sin embargo, si los padres nunca les han enseñado a realizar las tareas domésticas y de repente les piden que pasen la aspiradora, la reacción será una cara de asombro y el consabido «¿Eh?» de rigor. Algunos adolescentes, cuando se les pide que hagan algo, responden con toda amabilidad: «Por supuesto», lo cual te hará creer que no era tan difícil como parecía y te quedarás tan contento, cuando en realidad no lo harán. Están convencidos de que deberían hacerlo, pero no han sido capaces de despegarse del televisor y luego han encontrado algo más «importante» que hacer, como llamar a sus amigos. Simplemente se olvidaron.

Para tener éxito cuando pidas a tu hijo que te ayude y causar la menor tensión posible en casa, podrías seguir, siempre que sea posible, unas reglas muy simples. En primer lugar, lo que pidas debería hacerse inmediatamente. Por lo demás, evita cualquier solicitud durante su programa de tele favorito o el partido de béisbol; su respuesta será: «Claro que sí, cuando esto haya terminado», es decir, nunca.

«Engatusar» es fundamental. «Cariño, aquí está la aspiradora. Pásala por la habitación y arréglala un poco mientras ves la tele. Me ayudarás muchísimo. Hazlo enseguida por favor. Gracias preciosidad de mamá». Un enfoque de orden como «Tu cuarto es una pocilga. Ponte las pilas, arréglalo y pasa la aspiradora. ¡Ahora!» sólo conseguirá resentirlo y provocar réplicas como «No es culpa mía todo este desorden. Tus zapatos están tirados en el cuarto de baño. ¿Por qué no lo haces tú?».

Luego dale las gracias: «¡Buen trabajo! Muchas gracias cariño. Ha quedado como nuevo», y en el tono más melifluo que puedas, añade: «¿Podrías guardar ahora la aspiradora en el cuarto de los trastos. ¿Te he dado ya las gracias?», pues, de lo contrario, allí se quedará, en su cuarto (durante años y años si no le pides que la guarde).

Pero ¿y si engatusar no da resultado y cuando vuelves a la sala todo sigue como estaba y él sigue mirando tan ricamente la tele? ¿La apagas gritando «¡Pero qué estás haciendo…!»? No pierdas la calma, no levantes la voz: «Te pedí que me ayudaras a limpiar esta habitación. No me decepciones». Y en el tono más íntimo posible: «Cariño, no puedo hacerlo todo yo sola. Necesito tu ayuda. Hazlo ahora por favor». Muéstrate afectivo. Acaríciale la mejilla o tómalo de la mano mientras le hablas. Te agradecerá que le asignes una responsabilidad en lugar de darle una orden; ya no es tan niño como todos parecen creer. Estás alimentando su autoestima. A los adolescentes les molesta recibir órdenes y su respuesta es siempre la misma: resentimiento y desafío.

Si aun así rehúsa colaborar, recuérdale con tranquilidad que si tienes que hacer todo el trabajo no tendrás tiempo de acompañarlo en coche a casa de su amigo. Pregúntale si comprende lo que le estás diciendo y repítele que sin trabajo no hay coche. Y si esto tampoco da resultado, cuando llegue la hora de salir, limítate a recordarle lo que le has dicho antes, que la elección era suya y que todo cuanto tenía que hacer era ayudarte en lo que le habías pedido. Decidió no hacerlo. Por lo tanto, no hay coche. Mantente firme, no cedas a sus ruegos y lamentos, y por nada del mundo aceptes una excusa y un «Te prometo que lo haré mañana». Se queda en casa.

Sin embargo, dado que la vida no es fácil, si sabes que se trata de una fiesta especial, una cita, concierto o baile que llevaba esperando desde hacía semanas y sospechas que no realizará la tarea encomendada, en lugar de provocar la tercera guerra mundial, adelántate a los acontecimientos un par de horas antes de la hora de salir. Pídele que apague el televisor y el equipo de música, explícale que comprendes lo importante que es para él esta noche, pero que lamentándolo mucho, no podrá asistir si no hace el trabajo. Anímalo. Es importante que lo haga pues, de lo contrario, pasarán dos cosas, y las dos te harán sentir fatal. En primer lugar, tu hijo llorará e implorará que lo dejes ir y, si lo consientes, habrá conseguido lo que quería sin haber hecho lo que le pediste. Te sentirás resentida y disgustada por hacer cedido. Y, en segundo lugar, si te niegas y te mantienes en tus trece, sus súplicas no tardarán en convertirse en palabras subiditas de tono y acabarás sintiéndote culpable y disgustado toda la noche. Se trata de demostrarle que cuando se firma un pacto, hay que cumplirlo, aunque sólo sea echar una mano en los quehaceres domésticos. Luego, con el trabajo hecho y el compromiso cumplido, podrá disfrutar de su gran noche y tú te sentirás satisfecho y relajado, consciente de que no has cedido (¡Uf! ¿Alguien quiere hacer de padre en mi nombre?)

Las tareas más fáciles en las que un adolescente puede colaborar son las que se pueden hacer delante del televisor, como quitar el polvo, pasar la aspiradora, vaciar la papelera, emparejar calcetines y planchar. Si tiene que hacer algo en la cocina, se mostrará más predispuesto si estás con él. Aprovechando que estás preparando la cena podrías sugerirle que llenara o vaciara el lavavajillas, limpiara o secara los platos o te ayudara a cortar la zanahoria para la ensalada.

Dale siempre las gracias por su ayuda. Y, de vez en cuando, si ha cumplido sin protestar y ha hecho un excelente trabajo, sorpréndelo con un detalle especial: una revista de música o de motos, o dinero para dos entradas de cine. Pero no te acostumbres a sobornarlo. Hazlo sólo muy de vez en cuando.

Limpiar y ordenar su dormitorio es desde luego una historia muy diferente (véase p. 221).

Sam: «No me molesta que me pidan que pase la aspiradora siempre que no tenga que ir a buscarla o guardarla y, si es posible, en una habitación donde pueda ver la tele».

151 Comportamiento respetuoso 151

Cómo comportarse en público

Se ha escrito mucho sobre el comportamiento de los adolescentes en público, la forma en la que ensucian las calles, ocupan la acera en grupo y no dejan pasar, utilizan una interminable batería de palabras malsonantes y se muestran desconsiderados con los demás. Pueden intimidar, y quizá veinte años atrás muchos adultos se habrían atrevido a reprenderlos por su pésimo comportamiento, pero actualmente temen recibir un torrente de abusos verbales, o peor, agresiones físicas.

Demostrando su aprobación o desaprobación en diferentes situaciones, tu hijo adolescente comprenderá lo que es y no es aceptable. Como es natural, los padres que tiran siempre los desperdicios, papeles y latas de refresco en la calle o en el asiento del tren al apearse les están dando a entender que este tipo de conductas es aceptable. Con un poco de suerte, tal vez no sea tu caso. Recuerda que los niños y adolescentes aprenden mucho de lo que haces y lo que dices.

Transportes públicos

Aunque le hayas enseñado cómo debe comportarse cuando va contigo, cuando empieza a viajar solo o con sus amigos, merece la pena recordarle que hay otros usuarios en el tren o autobús y que conviene tener en cuenta unas cuantas cosas:

- Espera hasta que todos hayan bajado antes de subir.
- Sé educado con el conductor al comprar el tique y con los demás pasajeros.
- No empujes para pasar, y si accidentalmente lo haces, pide perdón.
- No apoyes los pies en los asientos.
- No levantes la voz.
- Escucha el walkman a bajo volumen, incluso con auriculares.
- Apaga el sonido del móvil o la Game Boy si estás jugando.
- Guarda las latas de refresco y tíralas a la papelera al apearte.

- No utilices palabras malsonantes si pueden oírte.
- Ayuda si ves a alguien con problemas al subir o al bajar con silla de ruedas, cochecito de bebé o equipaje.
- Si estás en grupo, hay pocos pasajeros en el vagón o autobús y sospechas que has estado haciendo demasiado ruido, pide excusas al apearte.
- Programa el timbre del móvil a volumen mínimo (véase «Teléfonos móviles», p. 217).
- Haz las llamadas donde haya menos pasajeros o espera a estar en el pasillo o el andén del metro.
- No te entretengas probando los diferentes tonos de llamada de tu teléfono móvil.
- No comas nada caliente o frito; el olor puede molestar a los demás pasajeros.
- Quítate la mochila y déjala en el suelo a tus pies.
- Los chicos deberían ceder el asiento a una mujer de cualquier edad o a un hombre anciano.
- Las chicas deberían cederlo a las mujeres embarazadas y de edad avanzada.
- Los adolescentes suelen reaccionar mal cuando se les da instrucciones o reglas. Sé casual: «Hasta luego... Por cierto, no te olvides de bajar el volumen del walkman...», o «Hasta la tarde..., y acuérdate de no apoyar los pies en el asiento... ¡Pásalo bien!».

No te preocupes si nunca le has enseñado cómo hay que comportarse en público. Dile: «Ahora ya eres lo suficientemente responsable como para viajar solo...» y hazle un par de sugerencias al respecto. Luego, aprovecha cuando vayas con él para comentarle otras cosas.

Y recuerda, no le digas directamente lo que no debe hacer (la mirada de perplejidad está asegurada), sino algo así como: «El otro día iba en el autobús y aquel chico llevaba tan alto el volumen de su walkman que podía escuchar la canción. Sí, ya sé que tú no lo harías...».

> **Sam:** «De vez en cuando, si el vagón está vacío, apoyo los pies en el asiento que tengo en frente, pero si viene alguien y me mira con desaprobación, los bajo enseguida».

Espacios públicos

Tu hijo estará fuera de casa con sus amigos mucho más tiempo del que pasa contigo, de manera que lo único que puedes hacer es confiar en que no vaya por ahí aterrorizando a la gente. No puedes responsabilizarte de lo que hacen otros adolescentes o sus amigos, pero si puedes sentirte razonablemente seguro de que tu hijo no se comportará mal, puedes estar tranquilo. En la mayoría de los casos los adolescentes no pretenden intimidar intencionadamente. Simplemente no son conscientes de cómo se están comportando y ni tan siquiera advierten la presencia de otras personas. Los buenos modales implican demostrar educación con nuestros semejantes, pero durante la adolescencia, los chicos apenas prestan atención a cualquiera que no forme parte de su grupo de iguales. Saber que así suelen ser las cosas no significa darse por vencido.

Ya sea dialogando sobre estas cuestiones, dando ejemplo o simplemente recordándoselo, tu hijo debe ser consciente de cómo hay que comportarse en público:

- No utilizar palabras malsonantes cuando otros puedan oírlo.
- Si camina por la acera con sus amigos, colocarse en fila para dejar paso a los demás transeúntes.
- Estar atento a cuanto los rodea por si alguien pudiera necesitar ayuda.
- No ir comiendo por la calle. Seguro que dispone de cinco minutos para sentarse en cualquier parte.
- Tirar los desperdicios en las papeleras.
- Respetar la propiedad pública.

- Abrir la puerta para dejar pasar a un adulto, ayudar a quienes se desplazan en silla de ruedas y no dar empujones para pasar.
- Y ahora, no te rías: incluso ayudar a cruzar la calle a las personas de edad avanzada. Aunque sólo sea tomarlas del brazo y acompañarlas hasta la otra acera, puede ser muy importante para ellas. En cualquier caso, apenas perderá un minuto en hacerlo.
- No usar monopatines en la calle, aeropuertos, tiendas o en cualquier otro lugar en que pueda molestar.

ESCUPIR

Es muy desagradable, pero mucho más en público y totalmente innecesario. Explícale que es un hábito repelente y ruégale que nunca lo haga.

> **Sam:** «Escupir es desagradable. Aun a costa de parecer cursi, si alguno de mis amigos escupe, le regaño. Se tiene un aspecto tan ridículo cuando se escupe en el suelo...».

CHICLE

Todo el mundo hoy en día masca chicle. Está bien siempre y cuando se haga con la boca cerrada y se tire antes de iniciar una conversación. Si deshacerse del chicle es un problema, basta algo tan simple como devolverlo a su envoltorio original o usar un pañuelo de papel y echarlo a la papelera. ¿Tan difícil es?

Cines y teatros

Veamos algunas reglas estrictas que necesitan conocer los adolescentes. Un grupo de chicos ruidosos y egoístas pueden arruinar la diversión a mucha gente. Y lo que vale para el cine y el teatro, se aplica igualmente a los museos y exposiciones. Hay cosas que se pueden hacer y otras que no.

Por horrible que sea la película o la obra, hay que apagar el teléfono móvil y no entretenerse jugando o enviando mensajes. Y si realmente es insoportable, mejor marcharse. Si tiene que pasar por delante de una fila de personas para llegar hasta su asiento debería decir: «Perdón» y «Gracias», y si la sesión ya ha comenzado, excusarse. Hay que sentarse con la máxima discreción y no cambiar de asiento constantemente. Sentarse, callar y mirar. No debe hablar durante la proyección o representación, y si tiene que hacer algún comentario a su amigo, ha de susurrarlo rápidamente, sin iniciar un diálogo. Recuérdale que no se debe apoyar los pies en el asiento delantero y tener cuidado en no golpearlo.

CINE Y COMIDA

Los perritos calientes, hamburguesas con patatas fritas y otras cosas por el estilo deben terminarse de comer antes de entrar en el auditorio; a nadie le gusta tener un compañero que apesta a ajo. Y a quienes les gustan los dulces, ¿por qué tienen que juguetear con el papelito de celofán durante toda la proyección? Es irritante en un radio de diez filas a la redonda.

Ve al cine con tu hijo y te harás una idea de cómo se comporta.

Un productor de televisión me contó que estaba sentado varios asientos más allá, aunque en la misma fila, que un adolescente que no dejó de jugar con el papel del caramelo durante toda la película a pesar de los insistentes «shhh». Al finalizar la proyección y encenderse las luces, se dirigió a él con una voz de «ya estoy hasta los mismísimos c.....s» indicándole que le había arruinado la película y lo egoísta y maleducado que era. El muchacho estaba perplejo, pero el resto del público aplaudió calurosamente («¿Te has enterado imbécil?»). El adolescente no era consciente de su comportamiento. Asegúrate de que tu hijo sí lo sea.

Si vas al cine y alguien te está molestando constantemente y no atiende a tus advertencias, dirígete al acomodador y pídele que lo invite a marcharse de la sala.

> **Sam:** «A mis amigos y a mí nos molesta muchísimo que un grupo de chicos de nuestra edad hablen en voz alto durante la proyección de la película sin importarles lo más mínimo los demás».

Respeto total: no avergüences a tu hijo

«¿Y cuál es el problema?» podrías pensar. No discutamos, pero créeme, te respetará más si no lo haces.

Aunque muchos adolescentes buscan su individualidad en su estilo y tener una apariencia «genial» ante sus iguales, en lo que concierne a sus padres quieren que sean normales.

Veamos una lista de «noes» rotundos:

- Viste de acuerdo con tu edad. A nadie le gusta que mamá o papá vista como un adolescente.

«¡No, papá, por favor, no hagas eso! ¡La Air Guitar no!»

- No trates de hablar con su argot de moda.
- No los abraces ni beses delante de sus amigos.
- No muestres fotos de tu hijo a sus amigos ni comentes episodios anecdóticos o ridículos que le sucedieron cuando tenía tres años.
- No uses palabras malsonantes en su presencia.
- No cuentes chistes relacionados con el sexo ni le dirijas indirectas sobre este tema.
- No intentes ser «genial» delante de sus amigos.
- No bailes, sobre todo al son de una canción de rock.

¡Estás advertido!

Asuntos propios
de la adolescencia

8

Relaciones

El juego de las citas

Los primeros amores, amores no correspondidos, corazones heridos, nudos en el estómago… Todos hemos pasado por eso, y ahora es el turno de tu hijita, la que siempre ha sido la pequeñita de la casa y la «mimadita de papá», vivir estas experiencias y sentir estas emociones. Te horroriza la idea de que un «patoso mugriento» de tres al cuarto pueda ensombrecer las ilusiones de tu maravillosa niñita del alma y se aproveche de su «gentil inocencia». Un escalofrío te recorre la espalda sólo con pensarlo. ¡Sería un verdadero desastre! Pero lo

«¡Mamá, se están besando!»

cierto es que aquel patoso mugriento es un chico apuesto y amable (o por lo menos eso es lo que piensan sus padres).

La edad en la que los adolescentes empiezan a sentirse atraídos por el sexo opuesto parece ser cada vez menor. Cuando tenía trece años aún soñaba con los angelitos. La edad del despertar sexual está estrechamente relacionada con la pubertad, sus iguales, los programas de televisión que ven y las revistas que leen.

Cuando empiece a salir con sus amigos o con un chico o chica en particular, pídele una lista de sus teléfonos móviles para un caso de emergencia, pero no abuses de esta información llamándolos transcurridos diez minutos de la hora en la que se suponía que tenía que haber llegado. Cualquiera que sea la edad a la que lo dejes salir en grupo o con su novio o novia, debe de seguir habiendo límites, como por ejemplo la hora de regreso, aunque siempre mediando un diálogo y un acuerdo entre los dos. Toma en consideración adónde irá y el horario de los transportes públicos. No te empeñes en que sea a las 11 de la noche si sabes que el tren llega a las 11.10 h.

De surgir algún contratiempo, tu hijo deberá obligatoriamente llamarte y explicarte por qué llegará más tarde, dónde está, con quién está o si está solo, y a qué hora cree poder estar en casa. Dile que tres demoras en un mes significará un fin de semana sin salir y que esta regla es innegociable. Si le explicas cuáles serán las consecuencias de sus acciones, te evitarás discusiones. Y al igual que ocurría cuando era pequeño, también ahora las advertencias de castigo serán automáticas en caso de infracción de la norma. Asimismo, podrías decirle que si durante todo un mes ha llegado a casa a la hora prevista, le permitirás regresar un poco más tarde el sábado o domingo de la semana siguiente. Procura que comprenda que ser considerado y responsable funciona en las dos direcciones.

Pero como padre habrá ocasiones en que los planes se torcerán y no tendrás más remedio que quitarte el batín, vestirte y salir en coche a buscarlo. No te pases el viaje de vuelta reprendiéndolo. Ten por seguro que sabe cómo te sientes y que, muy probablemente, también él habría preferido que todo hubiera salido de otra forma.

Si consideras que tu hija de trece años es aún demasiado joven para salir en pareja, en lugar de decir «No», en cuyo caso lo hará independientemente de tu voluntad, podrías sugerirle salir en un grupo de chicos y chicas durante las primeras citas. Pregúntale si su «novio» puede venir a casa para que puedas conocerlo.

Cuando tu hijo tenga quince o dieciséis años, déjalo ver la tele en su habitación y, en caso de que sólo estés dispuesto a que salga un solo día del fin de semana cuando quiere hacerlo los dos, dile que invite a casa a su novio o novia para ver un vídeo. Señálale que si van a ver la tele en su cuarto, no habrá puertas cerradas, aunque bajo ninguna circunstancia entrarás sin llamar, preguntando si puedes pasar y esperando una respuesta. Si siempre lo haces así, no habrá motivo alguno para cerrar la puerta con llave o pestillo a menos que estén haciendo algo que no aprobarías. Recuerda que si tienes un hijo varón, estás de algún modo obligado ante los padres de su novia a no permitirles situaciones comprometidas.

En la adolescencia, los aspectos en los que una interferencia paterna pueden desencadenar una acalorada discusión son incontables. Las relaciones son uno de ellos. Es un tema clave en el que el chico o la chica se muestran muy susceptibles. Procede, pues, con cautela y, si prefieres arriesgarte, asume las consecuencias. Si deseas mantener abiertas las líneas de comunicación, sé consecuente. Nunca bromees de tu hijo acerca del sexo opuesto ni delante de su pareja con cosas tales como: «Bueno, ¿así que éste es tu novio? Bajito, ¿no?» o «Parecéis dos tortolitos». Prueba otro enfoque: trátalo como adulto.

Muéstrate siempre respetuoso, hazle preguntas normales y procura que no suenen a Santa Inquisición. Y si tu hijo o tu hija parece dispuesto a hablar abiertamente de su amigo, pregúntale si le gustaría invitarlo a comer, merendar o cenar. La idea de un almuerzo o una cena tal vez le parezca demasiado formal. En tal caso, podría tomar un refresco, un café o una cerveza dependiendo de su edad. Tenerlos en casa tiene una ventaja añadida: sabes dónde están y probablemente lo que están haciendo.

Novios/novias inadecuados

Cuando tu hijo era pequeño, si tenía amiguitos que no te agradaban, podías invitar a otros a jugar con él en casa y fomentar nuevas relaciones. En la adolescencia es muy diferente.

No tienes absolutamente nada que decir acerca de los amigos con los que tu hijo ha decidido salir y relacionarse. A decir verdad, cuanto mayor sea tu desaprobación, más probable es que sigan con ellos. Es una forma de decir «Estoy creciendo y tomo mis propias decisiones». De manera que si su novio o novia no te gusta, en lugar de decirle que crees que no es adecuado para él o para ella, busca un modo positivo de expresarlo: con mimos, una gran sonrisa o sentido del humor. Si se da cuenta de que en realidad no lo estás desaprobando, no tendrá nada contra qué rebelarse, y es posible que la relación se disipe incluso antes de lo previsto. Otra buena estratagema consiste en invitar a cenar a su novio. Tal vez sea un chico muy formal y que se sienta a gusto con vosotros en casa por el mero hecho de ser los padres de su novia, o tan fuera de juego que decida dar por terminada la relación, pues en realidad andaba buscando otra cosa.

Una amiga mía me contó que había estado saliendo mucho más tiempo de lo que en realidad habría deseado simplemente a causa de la desaprobación paterna.

Sin embargo, si sospechas que tu hijo podría estar siendo arrastrado hacia la delincuencia, el alcohol o el abuso de drogas, debes intervenir. Siéntate con él y hazlo partícipe de tus preocupaciones. Dile que te gusta su novio, pero pregúntale si sabe por qué se comporta de esta forma; quizá no se sienta a gusto en casa o que exista un problema más arraigado, en cuyo caso tu hija debería intentar ayudarlo. Procura que comprenda que seguir el mismo camino no es beneficioso para nadie. Déjalo hablar si quiere hacerlo y escúchalo con atención. En caso contrario, por lo menos le habrás hablado con cariño y apreciará que te intereses por su vida.

Cualquiera que sea el problema y lo inadecuado que creas que es su novio o su novia, evita la tentación de prohibirle verlo. Tendrá el

No todos sus amigos merecerán tu aprobación.

efecto contrario. Expresiones tales como «¡Te prohíbo que lo veas de nuevo!» se volverán en tu contra. Si estás realmente disgustado y preocupado por esta relación, pídele a un buen amigo o familiar al que respete que hablen tranquilamente con él.

> **Fran:** «Mi padre y mi madrastra no eran precisamente lo que se podría decir los mayores fans de mi ex novio, pero nunca hicieron comentarios estúpidos delante de él y siempre lo trataron con educación. Aceptaban el hecho de que yo lo quería y que lo había elegido como mi compañero».

Modales en las relaciones sentimentales

Aunque los adolescentes deben descubrir por sí mismos las ventajas e inconvenientes de una relación sentimental, existe un código ético que convendría discutir durante la cena. Teniendo en cuenta el nefasto ejemplo que ofrecen muchas celebridades con la forma de comportarse en sus relaciones, no es de extrañar que nuestros hijos piensen que está bien hacer lo mismo.

Si has enseñado a tu hijo a abrir la puerta y ayudar a poner el abrigo a las damas, es probable que lo haga automáticamente. En cualquier caso, cuando empiece a salir con chicas podrías recordarle algunas cosas, como por ejemplo, caminar por el lado exterior de la acera, reservando la interior a su pareja. También debería, si es posible, acompañarla hasta la puerta de su casa, el autobús o un taxi. Si tiene un largo trecho hasta su casa, tu hijo podría pedirle que lo llamara o le enviara un mensaje de texto para saber que ha llegado bien. Eso hace que las chicas se sientas protegidas y seguras al saber que alguien cuida de ellas.

Piropos y expresiones cariñosas

Una de las quejas más comunes de las mujeres es la falta de piropos y expresiones cariñosas por parte de los hombres.

Podrías argumentar que no deberíamos tener que enseñar a los chicos a cumplimentar a una mujer, que debería ser algo espontáneo y natural, pero lo cierto es que no es así. Las chicas no parecen tener el mismo problema y suelen mostrarse muy abiertas a la hora de piropear al sexo opuesto. Por otra parte, si enseñas a tu hijo a elogiar por ejemplo la belleza o el estilo de una chica (sus ojos, su vestido, su peinado, su perfume, etc.), estará aprendiendo a observar diferencias, lo cual le resultará muy útil en todos los aspectos de la vida.

Cualquier mujer se siente halagada ante la expresión cariñosa o el piropo de un hombre, ya sea un adolescente de catorce años o un señor de setenta, y esta reacción tan positiva debería animarlos a seguir haciéndolo.

Así pues, explica a tu hijo varón que a las chicas les encantan las frases o palabras amables («Me gusta tu peinado» o «Estás preciosa»), sobre todo porque probablemente se habrán probado diez vestidos diferentes antes de salir de casa y habrán pasado tres horas acicalándose.

Dile a tu hija que cuando un chico le dirija una palabra cariñosa que elogie su belleza la acepte y lo agradezca. Un «Gracias» es más que suficiente. Muchas chicas se sienten incómodas ante un piropo, negándolo o avergonzándose. Si un chico dice a su novia: «¡Qué guapa estás esta noche!» y ella replica, ruborizada: «No tienes por qué mentir; soy la de siempre, ¿de acuerdo?», lo más probable es que no vuelva a intentarlo. También tu hija puede piropear a su novio, aunque en general suele ser algo mucho más natural en ellas.

Recuérdale que las frases y expresiones amables también satisfacen a las madres, abuelas e incluso a las profesoras en la escuela. Siempre hay un buen momento para halagar.

Imagina el siguiente escenario. Andrés ha entregado tarde los deberes, y que la profesora piensa: «Pero ¿no fue Andrés quien me dijo cuánto le gustaba mi nuevo corte de pelo?». Podría responder: «Deberás esforzarte más para entregarlos a tiempo la próxima vez. De lo contrario deberás atenerte a las consecuencias».

Analicemos de nuevo la misma situación: Andrés ha entregado tarde los deberes, y que la profesora piensa: «Siempre es tan tosco y rebelde en clase. Ahora verá…». Es posible que diga: «Te quedarás en clase a la hora del almuerzo y los harás. Por cierto, el sábado por la mañana estarás castigado; te quiero aquí. Que no se vuelva a repetir».

Sam: «Cuando salgo, no tengo ningún problema para decirle a una chica lo guapa que está. La reacción es siempre positiva y me siento más unido a ella. Sin embargo, algunas chicas replican: "¡Olvídalo! Mi aspecto físico no me importa lo más mínimo…", cuando salta a la vista que se han pasado horas delante del espejo. En ocasiones dicen: «Gracias, Sam, eres un sol». Reconforta, te sientes mejor después de haberlo dicho y de haber recibido esa respuesta».

Adivina quién viene a cenar esta noche

Si tu hijo o tu hija tiene un novio o novia regular, sugiérele que lo invite a cenar cualquier noche. La mayoría de los adolescentes se ruborizan sólo con pensarlo, pero al final acabarán aceptando, aunque sólo si tienen la seguridad de que no dirás nada que pueda incomodarlo o humillarlo a él o a su pareja y que te comportarás con normalidad. Nada de ropa «juvenil» ni argot adolescente. Para demostrárselo, pregúntale cuáles son las aficiones de su novio, no para atiborrarlo de preguntas, sino simplemente para tener una idea general de los temas de los que podríais hablar. Dependiendo de su edad, pregunta a tu hijo si querría ofrecerle vino, cerveza o refrescos, y cuáles son sus preferencias gastronómicas. No vayas a meter la pata y prepares un pollo asado si es vegetariano.

Elige algo fácil para comer. Por ejemplo, si tienes pasta, procura que no sean espaguetis (podría tener problemas «técnicos»); opta por macarrones o fettuccini.

Si van a estar presentes niños más pequeños, habla con ellos y diles que no deben alborotar ni hacer comentarios tontos que puedan avergonzar a su hermano o hermana mayor.

Rupturas

Sé que ésta es la era de la tecnología pero, por favor, procura convencer a tu hijo o hija adolescente de que no rompa una relación con un mensaje de texto. Hacerlo personalmente, cuando el pobre no sabe lo que se le viene encima, es una muestra de respeto. O peor, por teléfono o por carta. Dile que intente imaginar cómo se sentiría si lo hicieran con él.

Aunque podrías decirle que el engaño forma parte del aprendizaje en las relaciones amorosas, es muy doloroso para un chico estar en el extremo opuesto. Se siente disgustado por tu deslealtad al haberlo dejado por otro chico y su autoestima sufre un golpe bajo.

Todo cabe, menos huir. Explícale que si pretende engañarlo, que no perpetúe su calvario. Es preferible dar por finalizada la relación. Después de todo, si sigue viendo a esa persona, sólo conseguirá que la situación se repita.

El consejo siguiente podría parecer contrario a la naturaleza humana, pero procura que comprendan que es muy inapropiado hacer comentarios negativos o ridiculizadores a todos sus amigos acerca de su ex pareja. Se ha terminado por cualquier motivo, pero es mucho mejor mantener un silencio digno exceptuando quizá a su mejor amigo o su familia. Así pues, no beses y cuentes; besa y calla. Piensa en lo digna que se mostró Jackie Onassis sin decir palabra acerca de su último marido comparado con algunas de nuestras más recientes celebridades, que sienten la imperiosa necesidad de dar a conocer al mundo los mil y un defectos de sus ex parejas.

En época de exámenes, si tu hijo te anuncia que va a romper con su novio o novia, sugiérele que espera a que hayan finalizado, ya que estas noticias ocasionan un indudable disgusto, y el menor estado depresivo podría influir en su rendimiento académico. Podría decir que está tan atareado estudiando (¡ojalá fuera siempre así!), que no podrá salir hasta que los exámenes hayan terminado. Luego, puede soltar la bomba.

Corazones heridos

Consuelo, mimos, palabras amables y tiempo son los únicos remedios para un corazón herido. Ni qué decir tiene que cuando el mundo parece haber llegado a su fin, intentar convencer a un hijo de que «hay muchos más peces en el mar» o que «no era lo bastante bueno para ti» cae en oídos sordos. Es preferible animarlo y reconfortarlo: una cena en un bonito restaurante, un nuevo CD de su grupo favorito. Imaginación al poder. Asegúrate también de que sus amigos están a su lado y que lo apoyan.

Si la causa de su pesar es que su pareja ha estado jugando con él

«Pero, mamá, lo quiero tanto...»

con dos chicos o chicas a la vez, sugiérele que rompa la relación; se merece más respeto.

Sexo

Debajo de las bravuconadas de adulto propias de la adolescencia se esconde una persona insegura y vulnerable.

Por desgracia, a causa de la televisión, el cine, las revistas y los periódicos, esta generación está constantemente expuesta a una cultura de la fama que fomenta incorrectamente la idea de que tener innumerables parejas sexuales equivale a triunfar en la vida y que debes de ser muy popular cuando todo el mundo se acuesta contigo. Muchos jóvenes, desesperados a esta edad por conseguir la aprobación social, tendrán sexo para demostrar que no sólo son obviamente atractivos, sino también populares. Sólo el apoyo de los padres y los buenos amigos ayudarán a tu hijo a potenciar su autorrespeto y lo convencerán de que son genuinamente atractivos y populares sin tener que recurrir al sexo casual.

La presión de los iguales es uno de los factores má[s] el sexo adolescente, seguido de la presión de los novi[os] dad. La adolescencia es una poderosa mezcla de factor[es] un deseo de adaptarse a lo que se cree que es la norma.

Es muy probable que tu hijo reciba educación sexual en la escuela, pero necesita familiarizarse con algunos hechos más sociales y, en este sentido, los padres son fundamentales. Algunos estudios han demostrado que existen más probabilidades de que los adolescentes adopten las actitudes de sus padres ante el sexo a esta edad si éstos se muestran predispuestos a hablar de ello y de otras cuestiones afines. Y no te preocupes, el mero hecho de hablar de sexo no aumentará la actividad sexual de tu hijo, pero es esencial que conozcan tus sentimientos y tu opinión al respecto y que le expliques la importancia de los anticonceptivos.

Es muy poco probable en los tiempos que corren que los adolescentes estén dispuestos a esperar hasta cumplir los veinte para iniciar sus relaciones sexuales. De ahí que sea indispensable que sepan algunas cosas. Tal vez tu hijo no quiera escuchar. Dile que si cree ser lo bastante mayor para practicar el sexo, también lo es para dialogar. Sé breve, no lo sermonees, asegúrate de que nadie puede oíros y no te extrañe que se muestre terriblemente incómodo al abordar esta cuestión.

Aconséjalo no empezar con el sexo en pareja hasta haber encontrado a una persona que realmente le guste y con la que pueda entablar una relación plenamente satisfactoria para ambos. Explícale que, por mucha que sea la atracción que sienta hacia la otra persona, el sexo sólo debería formar parte de una relación más a largo plazo y no usarse como una especie de moneda emocional en los escarceos de un fin de semana. No dudes en comentarle que el sexo significa mucho más que un simple acto físico y que, en realidad, aunque ninguno de sus amigos esté dispuesto a admitirlo, puede resultar francamente insatisfactorio sin el vínculo de una intensa relación emocional.

Dile que tener sexo con una chica menor de dieciséis años, por mucho que se conozcan, es ilegal y puede considerarse de abusos a un menor y de rapto con fines deshonestos. Asimismo, si no utiliza anticonceptivos y su pareja queda embarazada, será responsable de mantener a ese niño hasta cumplir los dieciséis, además de tener que asumir las responsabilidades de ser padre aunque no viva con la madre.

Algunas cosas nunca cambiarán, e independientemente de los avances que hemos hecho como mujeres, las chicas que se acuestan con uno y con otro siguen siendo consideradas como «fáciles», mientras que los chicos no. Si sospechas que tu hija tiene relaciones sexuales en cada relación de pareja que mantiene a corto plazo, no parece estar preparada para prestar atención al argumento de que los chicos podrían respetarla mucho más si no cediera tan fácilmente y que podría disfrutar de relaciones más largas, la mejor opción es recomendarle la píldora. Es posible que el impacto de tu sugerencia le haga pensárselo dos veces antes de tomar una decisión. Si no es así, llévala al médico de familia o al centro de planificación familiar.

Explícale que hoy en día el sexo es omnipresente, pero que no por ello debe sentirse en ningún caso presionada por sus amigos. Aunque estén convencidos de que todo el mundo practica el sexo la mayor parte del tiempo, la verdad es que no es así.

Termina con algo entre líneas: «Sabes que como padre responsable tengo que contarte todo esto, pero sé que en realidad no tengo de qué preocuparme, pues también tú lo eres y confío en que harás lo correcto».

Llegará el día en el que tu hijo te pregunte si su novia puede quedarse a dormir en casa. Esto significa dormir juntos en la misma cama. Estás en tu casa, e independientemente de sus razonamientos, si la idea te incomoda, ofrece a la chica una cama en la habitación de invitados o la posibilidad de que tu hijo duerma en el sofá y le ceda su cama. Los padres tienen, en mi opinión, la obligación moral frente a los de su novia de hacer lo correcto.

Los adolescentes que sospechan que son gays se sienten muy aislados. Aunque en la edad adulta es perfectamente normal y no ocasiona mayores problemas, lo cierto es que a esta edad los jóvenes se sienten aterrorizados por el *bullying*, las burlas y el ostracismo al que se ven irremediablemente condenados. La forma en la que hayas hablado de los homosexuales a lo largo de los años será crucial a la hora de tomar la decisión de contártelo o guardarlo para sí. Con comentarios de menosprecio, bromas y actitudes de intolerancia hacia ellos sólo conseguirás que se sienta más solo y marginado. Sospeches o no que tu hijo puede ser gay, muestra siempre tolerancia cuando abordes el tema.

9

Cuestiones importantes
en la adolescencia

Bullying

Bien sabido es que el *bullying* puede tener efectos devastadores en los niños. Recientes investigaciones en Estados Unidos han concluido que sus efectos pueden ser muy a largo plazo, especialmente cuando se inician en la adolescencia. La autoestima de quienes sufrieron *bullying* de adolescentes es probable que sea nula y que las víctimas se suman en profundos estados depresivos durante la edad adulta.

Durante la adolescencia, los niños acosados sufren depresión, baja autoestima, ansiedad, miedo y aislamiento social. Algunos se vuelcan en el alcohol o las drogas, mientras que otros empiezan a familiarizarse con las armas. El acoso puede manifestarse en mil formas diferentes: raza, estatura, intelecto, la forma de hablar o incluso el color del pelo. El *bullying* tiende a ser más común en los primeros años de la adolescencia y afecta más a los chicos que a las chicas. Los chicos acosarán a otros chicos insultándolos, mediante la violencia física y amenazas intimidatorios, y burlándose de ellos, mientras que las chicas objeto de *bullying* tienden a ser el objetivo de rumores y comentarios sexuales.

Veamos algunos signos de alarma a los que debes prestar atención:

- Retraimiento.
- Enfermedades fingidas para no ir a la escuela.
- Desgarros en la ropa.

- Cortes y heridas.
- Caída en picado en el rendimiento escolar.
- Malhumor y renuencia a hablar.
- Miedo a leer mensajes de texto.
- Hurtar dinero o gastar enseguida la asignación semanal sin nada que lo justifique.

Al igual que con cualquier otra cuestión relacionada con los hijos, si crees que el tuyo está siendo objeto de acoso, habla con él. Se mostrará evasivo, pero aun así dale a entender que estás a su lado para ayudarlo y escucharlo cuando quiera hablar. Dile que sospechas lo que está sucediendo y que puedes ayudarlo a poner fin a esta desagradable situación. Explícale que el acosador nunca se enterará de cómo lo han descubierto y que por lo tanto nada va a empeorar las cosas, sino todo lo contrario. Cuando tu hijo decida sincerarse contigo, independientemente de lo disgustado y enfurecido que puedas sentirte, no llames a sus padres ni te apresures a enfrentarte a él. Visita al director de la escuela y a su profesor al día siguiente con toda la información de que dispongas y pregunta qué medidas van a adoptar.

Es posible que la autoestima de tu hijo esté por los suelos a causa del *bullying*. Ayúdalo a recuperar su confianza y anímalo a hacer nuevos amigos. Podrías invitarlo a él y a un par de amigos al cine y a cenar un sábado por la noche. Procura que sepa perfectamente que siempre estarás ahí para ayudarlo y que el *bullying* no es algo que vaya necesariamente a desaparecer por sí solo, de manera que debe aceptar toda la ayuda posible. Explícale que no tiene que avergonzarse de sufrir acoso y que no es signo de fracaso, sino precisamente todo lo contrario: es el acosador quien tiene problemas.

Absentismo escolar

A menudo los niños sometidos a *bullying* no asisten a la escuela; prefieren que los castiguen por su absentismo a enfrentarse a los acosadores. Entre otras razones del absentismo escolar figuran el aburrimiento y el escaso rendimiento académico, con posibles dificultades en el aprendizaje tales como dislexia. Los niños que faltan a las clases no suelen tardar en caer en la delincuencia. Si sospechas que tu hijo está faltando a la escuela, aborda el problema inmediatamente. Llama al centro y pregunta cuántos días ha ido a clase durante el último mes, y si se confirman tus presagios, siéntate y dialoga con él para desentrañar la raíz del problema. Si es necesario, visita al director de la escuela y a su profesor, y discute la cuestión. Quizá necesite un apoyo especial o clases de repaso en alguna disciplina para ponerse a la altura del resto de la clase.

Honradez

Los niños honrados pueden enfrentarse a una asombrosa cantidad de nuevas presiones por parte de sus iguales cuando llegan a la adolescencia. Si te muestras comprensivo y lo apoyas en todo momento, no sólo se sentirá más seguro de sí mismo a la hora de afrontar los nuevos problemas y presiones, sino que también recuperará la confianza necesaria para hablarlo contigo.

Cuando los niños llegan a la adolescencia, ya han aprendido a discernir entre lo correcto y lo incorrecto. Saben que mentir y hurtar dinero son comportamientos negativos, lo cual por desgracia no quiere decir que nunca caigan en ellos. Con frecuencia, los adolescentes no siempre cuentan a sus padres toda la verdad, aunque siguen creyendo que son honrados.

A ningún padre le gusta que, al igual que hurtar, su hijo le mienta o que mienta a los demás, de manera que conviene animarlo a decir la verdad. La idea de que un hijo crezca y se convierta en una per-

«Tengo un terrible dolor de estómago, señorita.»

sona poco honrada o que infringe las reglas sociales constituye una de las peores pesadillas de los padres.

Una vez más, la mejor herramienta de aprendizaje es el buen ejemplo, aunque lo cierto es que aunque nosotros nos tengamos por honrados y buenos modelos de rol para nuestros hijos, ellos podrían vernos de un modo diferente. Constantemente decimos mentirijillas (mentiras piadosas) que tu hijo podría considerar inofensivas y pensar, por ejemplo, que decir que estará en casa de un amigo cuando en realidad irá a una fiesta es una mentira de este tipo.

> Cuando mi hija tenía dieciséis años, estaba clasificando la ropa para meterla en la lavadora cuando encontré su carnet de estudiante. Al examinarlo descubrí que figuraba 1984 como año de nacimiento. Eso era por lo menos lo que ella había dicho. «Se habrán equivocado», pensé. «Nació en 1986.» Al señalarle que estaba pasando por una chica de dieciocho, se incomodó y luego se echó a reír: «¡Es un carnet falso, mamá!, ¡y no te has dado cuenta!».

Con la independencia y libertad de que gozan los adolescentes, hay períodos del día en los que probablemente no sepas con quién o dónde está tu hijo. Dado que éstos son dos de los factores de mayor preocupación de los padres, es importante contar con la mayor cantidad posible de información, algo que sólo conservando la calma y la confianza es posible obtener. Con desaprobación y reprimendas no se consigue nada.

Robo

La diferencia entre un niño que toma «prestado» algo de otra persona y el robo o hurto de un adolescente es que éste comprende muy claramente el concepto de propiedad.

Ningún padre imagina que su precioso chiquitín crecerá y se convertirá en una persona poco honrada. ¿Han criado un «delincuente juvenil»? Por aterradora que pueda ser esta idea, no pierdas la serenidad. El hecho de que tu hijo haya robado algo no significa necesariamente que esté abocado a una vida de delincuencia.

Veamos algunas razones que inducen al robo a los adolescentes.

Conseguir lo que desean

Si carecen de asignación semanal y no se accede a comprarles lo que tan desesperadamente desean, pueden optar por robarlo.

PREVENCIÓN

Asegúrate de que tu hijo dispone de una asignación (véase «Dinero», p. 85) y que sabe lo que puede comprar con ella. Si hay algo muy especial que de repente desean (lo sabrás enseguida), como un top para una fiesta o el último CD de su banda preferida, dale algún dinero extra a cambio de ayudar en casa en alguna tarea determinada. Pero no cometas el error de optar por esta solución cada vez, ya que nadie puede conseguir siempre todo cuanto desea. Y asegúrate de que la tarea encomendada ha sido completada y a tu entera satisfacción antes de darle el dinero.

Presión de los iguales

A menudo los adolescentes roban para demostrar su «valentía» ante su grupo de iguales y que merecen formar parte del mismo, o simplemente para impresionarlos.

PREVENCIÓN

Si tu hijo cree que no es lo bastante bueno para formar parte de su grupo de iguales podría estar sufriendo un estado de baja autoestima y necesitar ánimo y estímulo para convertirse en una persona confiada y segura de sí misma. Explícale que ser descubierto robando en una tienda y tener un historial de delincuencia que pueda impedirle viajar a algunos países si así lo desea una vez finalizados sus estudios no impresiona a nadie.

Llamar la atención

Algunos niños roban para atraer la atención de los demás. Con frecuencia, su nivel de autoestima es prácticamente nulo, tienen problemas en la escuela y gozan de escasa atención en casa. Aunque la atención que recibirán por sus actos no será la que desearían, seguirá siendo atención.

PREVENCIÓN

Como ya hemos dicho anteriormente, los adolescentes con un bajo nivel de autoestima necesitan apoyo y estímulo. Si tu hijo roba para llamar la atención es probable que ya sepa que está mal y que va contra los deseos de sus padres, pero en cualquier caso, acabará disfrutando de la atención que tanto ansía: «Así que finalmente me hacéis caso».

Los padres que reciben escasa atención por parte de sus hijos adolescentes deberían examinar si se están interesando lo suficiente por ellos. Es una función recíproca.

Porque pueden salir airosos

Aunque los padres no deberían sobrerreaccionar ante un hijo que roba, la infrarreacción tampoco es aconsejable. Desde luego, una escasa o nula intervención no transmitirá el mensaje de que esa acción no debe repetirse.

Recientemente se ha producido un caso de un adolescente que había sido herido por la víctima de un robo. Su madre dijo al periodista: «No merece que le hagan daño. No es un mal chico, sólo un pilluelo». Seguro que todos desearíamos exclamar: «¡Señora, despierte, su hijo no tiene nada de pilluelo! ¡Es un ladrón que intentaba atentar contra la propiedad ajena!». Pero mientras los padres adopten este tipo de actitud ante la falta de honradez de sus hijos, su comportamiento no cambiará.

PREVENCIÓN
Sé coherente contigo mismo, adopta medidas y castígalo.

Miedo a la dependencia

Algunos adolescentes temen depender totalmente de alguien («Cuando antes mejor», tal vez estés pensando), de manera que optan por conseguir lo que quieren para ser autosuficientes.

PREVENCIÓN
Procura que disponga de una asignación semanal y, por qué no, de un empleo de sábado o fin de semana para que se sienta más independiente de la familia.

Sospechoso de hurto

Cuando los adolescentes no están en la escuela, sus padres deberían saber dónde están, con quién están y qué están haciendo. Aplica el sentido común. Si tu hijo está fuera todo el día con poco dinero y vuelve a casa con un nuevo CD, pregúntale cómo lo ha conseguido. No escondas la cabeza en la arena.

Asimismo, si llega con nuevas prendas de vestir y alguna que excusa por la forma en la que las ha conseguido, pídele el tique de compra. Si dice haberlo perdido, insiste en que la próxima vez lo guarde para poder cambiarlo si estuviera defectuoso. No te enfrentes a él diciéndole que sospechas que lo ha robado, pues si no lo ha hecho, se sentirá profundamente herido, y si lo hizo, lo negará.

Si descubres un pantalón o un par de camisetas nuevas en su habitación con un orificio donde estaba el precinto de seguridad, dile que estabas limpiando y pregúntale dónde ha conseguido la ropa nueva y si guarda el tique, pues tiene un agujero y vas a cambiarlo. Por su reacción sabrás cuál es la verdad. Si tienes una buena relación con él, podrías decirle con una voz de «sé perfectamente que nunca harías nada incorrecto» que algunas personas roban o hurtan en las tiendas y lo intolerable que te parece, pues este tipo de personas no se dan cuenta de la gravedad de su acción y que por la misma razón podrían entrar en casa del dueño y robarle el dinero. Termina con un entre líneas: «Por lo menos sé que eres honrado y digno de confianza, y que nunca harías algo así». El hecho de que sospeches pero que confíes en él podría ser suficiente para avergonzarlo y dejar de hacerlo.

Qué hacer si tu hijo roba

Si aun después de haber hablado con él siguen apareciendo cosas en casa de dudosa procedencia y que sabes que no se puede permitir el lujo de comprar, explícale tu preocupación. Dile que sabes que es honrado, pero pregúntale si se ha llevado estos artículos de una tienda sin pagarlos y por qué motivo. No te exaltes, pídele que te diga la verdad, aconséjale poner fin a este comportamiento y asegúrale que estás dispuesto a olvidar el incidente si no vuelve a repetirse. Reitérale que sabes que es una persona honrada y que es mejor que tenga una razón de peso que justifique haber robado aquellas cosas.

No grites. Tu hijo dará por sentado que has perdido el control y tus palabras perderán eficacia.

Es muy importante que los adolescentes no se beneficien en ningún modo del robo. Siempre que sea posible, lo sustraído deberá ser restituido y pagado, ya sea de su propia asignación o trabajando en casa hasta saldar la deuda si lo has pagado tú. Además de una disculpa verbal al comerciante, deberías insistir en que enviara una carta excusando su comportamiento.

Luego siéntate cara a cara con tu hijo, sin nada que os moleste, y pregúntale por qué hizo lo que hizo y si se comprende el error cometido y la suerte de que no lo descubrieran y avisaran a la policía. No son nada recomendables frases tales como «¡Qué vergüenza para nuestra familia! ¿Cómo has podido hacerlo después de todo cuanto hemos hecho por ti?» ni por supuesto los insultos. No obstante, es esencial que los padres hablen con su hijo en un tono de «estoy preocupado, hablemos de ello» y no de «lo comprendo».

Dile que siempre puede acudir a ti para hablar de cualquier tipo de problema. No importa de qué se trate, siempre lo escucharás y aconsejarás. No lo sermonees prediciendo una vida de delincuencia ni llamándolo «ladrón» o «mala persona». Ha sido el acto cometido lo que ha estado mal.

Asimismo, también deberías considerar si has estado demasiado ocupado recientemente como para prestarle la debida atención o si se han producido cambios en su vida que pudieran ser la causa del conflicto. Sin embargo, no lo excuses en modo alguno; sólo negarás tu desaprobación de sus actos.

Una vez solucionado el asunto, dalo por zanjado y no vuelvas a hablar de ello.

Si aun así tu hijo reincide en este comportamiento, acude a un psicólogo para que te aconseje.

El robo y la ley para menores de dieciocho años

En caso de un primer delito, si un adolescente es descubierto robando en una tienda, habrá que avisar a la policía y será conducido a la oficina del director para ser interrogado. Lo arrestarán y se cursará un apercibimiento formal a menos que el comerciante quiera presentar cargos. El apercibimiento figurará en el expediente policial, pero no en el registro de penales del adolescente. Se avisará a los padres o tutores.

No obstante, si el comercio desea presentar cargos, el adolescente será conducido a la comisaría, donde se decidirá si queda detenido para ulteriores investigaciones. Se avisará a los padres y a un abogado para que estén presentes mientras se le leen sus derechos y se le interroga. Asimismo, se le tomarán las huellas dactilares, fotografías y una muestra de sangre para determinar su ADN. Durante el interrogatorio, si el acusado admite el delito o es la primera vez que lo comete, habitualmente saldrá en libertad con un apercibimiento formal, pero si se trata de la tercera o cuarta vez, se le acusará de robo y se establecerá una fecha para el juicio. Habida cuenta de que el hurto está considerado un delito de faltas, la pena consistirá casi siempre en una multa.

Mentir

Al igual que el robo o el hurto, nos resulta extremadamente desagradable pensar que nuestros hijos adolescentes puedan mentirnos o mentir a otras personas.

Mentirijillas

Las mentirijillas, o mentiras piadosas, forman parte de la vida cotidiana. No se dicen con la intención de causar un daño, sino que en ocasiones son necesarias por motivos de conveniencia, diplomacia e incluso educación.

Qué marido no ha complacido a su mujer con una mentira piadosa cuando ésta le pregunta: «¿Me veo gorda con este vestido?».

Los adolescentes comprenden perfectamente el concepto de «mentirijilla», pero cabe la posibilidad de que extralimiten su verdadero significado. Si sospechas que una mentira piadosa ha desembocado en una mentira de mayor calibre, pregúntale: «Ahora dime, ¿es absolutamente cierto lo que acabas de decir? ¿Me das tu palabra de honor?».

Veamos algunas razones por las que pueden mentir los adolescentes.

Intimidad

Normalmente los adolescentes muy honrados pueden mentir para proteger su intimidad. Tal vez no se sientan preparados para enfrentarse a una larga lista de preguntas si acaban de iniciar una relación con un miembro del sexo opuesto. Esto no significa que nunca vayan a decírtelo, sino sólo que aún no se sienten lo bastante seguros de sí mismos para divulgar determinada información.

SOLUCIÓN
Si le haces preguntas y se muestra incómodo o reticente a hablar del tema, déjalo en paz, no lo abrumes. Dile algo así como: «Bueno, si quieres que hablemos, ya sabes que estoy aquí».

Desaprobación

Los adolescentes también pueden mentir acerca de adónde van a ir o con quién si creen que lo desaprobarás y lo prohibirás.

SOLUCIÓN
Procura conocer a sus amigos. Sugiere a tu hijo que los invite a cenar pizza y ver un vídeo. Si siempre ha existido una comunicación fluida entre vosotros es mucho más probable que te diga adónde irá aun-

que sospeche tu posible desaprobación. Si cuestionas constantemente a sus amigos, los calificas de «malas compañías» e intentas disuadirlo de que los vea, sólo conseguirás fortalecer su deseo de hacerlo.

Evitar un castigo

Si tu hijo sabe que vas a gritarle, insultarlo y castigarlo severamente, lo negará todo.

PREVENCIÓN

De niño es de suponer que le enseñaras a reconocer sus faltas y que te enfadaras con él si no te lo decían y lo habías descubierto.

Pero a medida que ha ido creciendo, tu hijo también tiene que aprender a asumir la responsabilidad de las consecuencias de sus acciones. Por ejemplo, si reconoce haber roto tu espejo favorito de un balonazo jugando a la pelota en la sala de estar, dale las gracias por habértelo dicho, pero dile también que debería saber perfectamente que en casa no se juega al fútbol y que tendrá que destinar una parte de su asignación del mes siguiente a la reparación del daño.

Explícale que «la honradez es la mejor política», y que por terribles que crea que pueden ser las consecuencias de un acto voluntario o involuntario, te habrías disgustado mucho con él si no te lo hubiera confesado. Procura que comprenda que no hay nada que no pueda decirte y que agradecerás siempre su sinceridad. Tu actitud hacia él como adolescente determinará exactamente su mayor o menor disposición a admitir una falta. Los padres que gritan y exacerban el problema obligan al chico a negar sus actos y a echar la culpa a otra persona, a su hermano más pequeño por ejemplo. Las repercusiones pueden ser graves y conviene cortar de raíz este tipo de comportamientos.

Los adolescentes necesitan comprender que las mentiras pueden devastar la vida de las personas, influyendo muy negativamente en el trabajo, las relaciones interpersonales e incluso la libertad personal. Ponle un ejemplo. A pesar de que es muy improbable que una mentira de tu hijo vaya a meter a alguien entre rejas, o por lo menos cabría esperarlo, debe conocer las consecuencias que puede tener.

Ocultación para evitar una decepción

Los padres no deberían tener expectativas no realistas de sus hijos, ya que a menudo puede ser la causa de mentir e incluso a copiar en los exámenes. Si esperas una A en matemáticas y sólo consigue una C, podría mentirte para evitar tu disgusto y tu decepción, aun a sabiendas de que al final acabarás descubriéndolo. La mentira simplemente retrasa el disgusto. Copiar en un examen puede ayudarlo a conseguir la calificación deseada, pero será inmerecida.

PREVENCIÓN
No sitúes el listón tan alto como para que tu hijo se sienta sometido a una enorme presión y pueda optar por la mentira.

Presión de sus iguales

Los adolescentes ansían a toda costa integrarse y ser aceptados en un grupo. Pueden contar historias inciertas para impresionar a sus compañeros de clase, tales como que fuman, han probado las drogas o ya han tenido relaciones sexuales, con el único propósito de erigirse en el centro de atención o por falta de autoestima, en la creencia de que no despertarían el menor interés si se mostraran como realmente son.

PREVENCIÓN
Ayuda a tu hijo a potenciar su autoestima. Si se siente seguro de sí mismo con sus amigos y se da cuenta de que lo aceptan por ser quien es, será menos probable que experimente la necesidad de impresionar a nadie.

Conseguir lo que desean

Con frecuencia los adolescentes mienten para conseguir lo que desean, aunque ante el desafío casi siempre lo admiten. Pueden decir que han terminado de arreglar su cuarto cuando en realidad no lo han hecho para poder salir con sus amigos, pero esto no es más que una mentira leve, pues basta una visita a la habitación para comprobarlo.

En este tipo de incidentes es más probable que crean estar tentando a la suerte que mintiendo.

PREVENCIÓN

Si sospechas o puedes demostrar que puede ser ésta su actitud, habla con él y recuérdale que no hace falta que te mienta. Imponle algún tipo de sanción más a modo de recordatorio que de castigo. Por ejemplo, en el caso anterior, conmínalo a terminar la tarea y a pasar la aspiradora en su cuarto y también en el tuyo.

Explícale que de haber sido honrado y haber preguntado si podía salir con sus amigos, prometiendo limpiar su dormitorio más tarde, probablemente habrías aceptado.

Llamar la atención

Los adolescentes que no reciben la suficiente atención paterna o social pueden elaborar historias y fantasías para despertar interés, y cuando comprueban que la estrategia funciona, persistir en su actitud.

PREVENCIÓN

Los padres enseguida se dan cuenta de que sus hijos están contando historias «asombrosas» para llamar la atención, de manera que cuanto tengas una prueba, habla con él cara a cara y sin que nadie pueda oíros, y dile que sabes que no es verdad. Evita preguntarle por qué ha estado mintiendo, pues es muy posible que añada una nueva mentira a su repertorio. Después de todo, los chicos dispuestos a reconocer su problema y a decir «Así están las cosas mamá. Nadie me presta atención en casa, y ésta parece ser una buena forma de conseguir-lo» se pueden contar con los dedos de una mano.

Profecía de autorrealización

Si un padre dice constantemente a su hijo: «Eres un mentiroso», cabe la posibilidad de que siga haciéndolo, pues ya ha sido etiquetado como tal. Los adolescentes se muestran muy inseguros en su entorno o cambian de idea en el último momento y se muestran reacios a contar algo a sus padres, pero cuando lo descubren, el chico recibe invariablemente la etiqueta de «mentiroso».

PREVENCIÓN
Nunca llames mentiroso a tu hijo aunque sospeches que lo es. Dile simplemente que necesitas saber siempre dónde está o con quién está por razones de seguridad, y que sabes perfectamente que es una persona lo bastante responsable como para decírselo en el futuro.

«No creo que estés diciendo toda la verdad» o «Parece haber alguna discrepancia entre lo que deberías decirme y lo que has dicho» son una buena forma de empezar, pero nunca digas: «Eres un mentiroso» o «Me has mentido» si lo que pretendes es potenciar su honradez.

Qué hacer si un adolescente miente

Si sospechas que tu hija ha mentido, siéntate y habla con ella en privado. Si estás de pie, tu mayor estatura la intimidará. Pídele que te diga la verdad sobre la situación particular y explícale que no te enojarás si te dice exactamente lo que ha sucedido. Si ha mentido, deberá reconocerlo, pero si no lo hace y sabes que así ha sido, te disgustarás con ella. Si tu hija confía en ti, admitirá su falta y, si insiste en que no mintió, deberás aceptarlo.

Lo que los padres perciben como mentir, a menudo los adolescentes lo consideran mentirijillas sin importancia o verdades a medias.

Dile cómo habría evitado mentir y que si tiene un problema que crea que exige una mentira, que hable primero contigo.

Por desgracia, mentir puede convertirse muy rápidamente en un hábito, sobre todo cuando el adolescente advierte que puede atraer más atención y eludir la responsabilidad de sus actos.

> **Sam:** «La única vez que mentí a mi madre fue sobre fumar. Lo negué. Pero cuando lo descubrió, no me gritó ni perdió los nervios. Dijo que estaba más disgustada porque le había mentido que por el simple hecho de fumar. Me hizo sentir culpable al negarlo, y luego estúpida cuando descubrió todo el pastel».

Procura no caer en la trampa de ignorar algunas mentiras y castigar otras. Sé constante. Dile que siempre se acaba descubriendo a las personas que mienten a causa de la incoherencia de sus historias. Es fácil decir la verdad, pero mucho más difícil recordar algo que se ha inventado.

Honradez en la escuela

No puedo imaginar que haya alguien que esté leyendo este libro durante sus años de escolaridad que no haya dicho a un profesor por lo menos una vez lo siguiente:

- «He olvidado los deberes en casa», cuando en realidad ni siquiera los has empezado.
- «He ido al médico» (para no hacer un examen).
- «He llegado tarde porque mi hermano se cayó y lo llevé al hospital» (para justificar un retraso).

Veamos un ejemplo. Si tu hijo olvida hacer los deberes de matemáticas, sugiérele que en lugar de esperar hasta que empiece la clase para confesarlo, es decir, delante de todo el mundo, podría ir al encuentro del maestro en la sala de profesores y comentárselo, pedirle disculpas y prometerle que al día siguiente los entregará.

Cuando el adolescente descubre que la honradez puede simplificar las situaciones conflictivas, todo es más fácil en la vida escolar.

Trastornos en la alimentación

Hay dos tipos de trastorno en la alimentación que aterrorizan a los padres: la anorexia y la bulimia. Son trastornos psiquiátricos que afectan principalmente a las mujeres jóvenes, aunque son cada vez más frecuentes también entre los varones. Suelen empezar en la adolescencia y el inicio de la pubertad, caracterizadas por una preocupación por la alimentación y una distorsión de la imagen corporal. La principal diferencia entre anorexia y bulimia reside en que las personas anoréxicas apenas comen, mientras que la bulímicas lo hacen en grandes cantidades y luego se provocan el vómito.

Aunque las chicas suelen ser las más afectadas por ambos trastornos, algunos chicos también los sufren, pero dado que la creencia general es que sólo se presentan en aquéllas, en el caso de los chicos pasan casi siempre inadvertidas. Al parecer, los chicos desean un cuerpo más atlético.

El tercer trastorno es la sobrealimentación compulsiva.

Causas de la anorexia y la bulimia

Los padres y amigos de anoréxicos y bulímicos se empeñan en determinar el momento o el problema que ha desencadenado esta destructiva patología pero, por desgracia, es probable que no exista, lo cual complica considerablemente las cosas. ¿Cómo es, pues, posible encontrar una solución sin conocer la causa?

Anorexia

¿QUÉ ES?

La anorexia nervosa es la búsqueda infatigable de la delgadez corporal, y aun en el caso de que el paciente esté delgado, se ve obeso.

Se han identificado algunos factores en las personas que sufren esta condición:

- Suelen ser perfeccionistas y demostrar un elevado rendimiento escolar.
- Tienen baja autoestima aunque exteriorizan una extraordinaria confianza en sí mismos.
- Sus padres han depositado en ellos altísimas y poco realistas expectativas, ya sea académicas, deportivas o sociales, que hacen que el adolescente se sienta inútil si es incapaz de cumplirlas.
- Reciben constantes críticas de sus padres acerca de su aspecto físico.
- Necesitan sentir que controlan su vida. Tienen dificultades para expresar sus sentimientos.
- Pueden estar relacionados con actividades en las que la delgadez es una ventaja, como modelo, bailarín o actor.

SIGNOS DE ALERTA

- Comer muy poco.
- Temor a engordar.
- Pérdida de peso y aun así seguir insistiendo en seguir una dieta.
- Insatisfacción con su cuerpo.
- Conocimiento del contenido calórico de la mayoría de los alimentos.
- Incapacidad para concentrarse y pérdida de energía.
- Depresión, cambios en el estado de ánimo.
- Interrupción de la menstruación.
- Ejercicio excesivo, más obsesivo que por diversión.
- Retraimiento en las actividades sociales normales.

Los efectos a largo plazo de la anorexia con muy degenerativos. El cerebro cree, correctamente, que el cuerpo está hambriento y desacelera el pulso cardíaco y la tensión arterial. La osteoporosis (fragilidad ósea), la inflamación de las articulaciones y la anemia son habituales, además de caída del cabello y uñas quebradizas, y en los casos graves incluso la muerte.

Bulimia

¿QUÉ ES?

La bulimia se caracteriza por la ingestión de enormes cantidades de alimentos habitualmente ricos en calorías seguida de métodos inapropiados de eliminación mediante el vómito autoinducido o el uso de laxantes.

La ingestión alimentaria desmesurada nunca está relacionada con el hambre. Los pacientes casi siempre se sienten muy culpables y deprimidos después de una ingesta y provocan la eliminación para aliviar este sentimiento.

Entre algunos de los factores que contribuyen a la vulnerabilidad a la bulimia figuran los siguientes:

- Presión para mantener un elevado nivel de rendimiento (académico, deportivo, etc.).
- Baja autoestima.
- Insatisfacción con el propio cuerpo.
- Depresión, estrés.

Es difícil determinar si una persona es bulímica, ya que la mayoría de ellas tienen un peso normal y otras incluso sobrepeso. A menudo, la ingestión y eliminación suelen realizarse en secreto, lo cual complica aún más si cabe su detección.

SIGNOS DE ALERTA

- Apresurarse al baño inmediatamente después de una comida.
- Pasar largos período de tiempo en el baño, tal vez con los grifos abiertos.
- Atiborrarse de galletas, cereales, helado, etc., diez minutos después de una comida.
- Evidencia en el cubo de la basura de cajas de cereales y pasteles vacías, envoltorios de galletas, etc.
- Cajas de diuréticos y laxantes en su cuarto.
- Ingestión de grandes cantidades de comida sin ganar peso.

Entre los efectos a largo plazo de la bulimia destacan las úlceras, la erosión del esmalte dental y la caída de piezas dentales a causa de los ácidos gástricos que pasan a través de la boca con el vómito constante, así como también hinchazón de las mejillas e irritación de las glándulas salivales, arritmias, deshidratación e interrupción de la menstruación. Al igual que en el caso de la anorexia, en los estados muy graves de esta enfermedad, la pérdida de potasio puede provocar trastornos cardiovasculares y la muerte.

Ingestión alimentaria compulsiva

¿QUÉ ES?

La ingestión alimentaria compulsiva se caracteriza por una ingesta incontrolable de alimentos hasta un punto de saciedad incómoda. La ingesta suele ser frenética y suele ir seguida de un sentimiento de culpa, vergüenza y depresión que conducen de nuevo a la ingesta. A diferencia de los bulímicos, los enfermos de ingestión alimentaria compulsiva no provocan la eliminación después de comer, y el aumento de peso es sustancial. Este trastorno afecta al doble de mujeres que de hombres.

Veamos algunos factores que hacen vulnerable a la ingestión alimentaria compulsiva:

- Negación de las propias emociones.
- Baja autoestima.
- Necesidad constante de amor y aprobación.
- Sentimiento de inutilidad.
- Dificultades para hacer frente al estrés diario.

SIGNOS DE ALERTA

- Ingerir grandes cantidades de alimentos sin apetito.
- Comer muy deprisa.
- Comer solo.
- Depresión y sentimiento de culpa después de comer.
- Aumento excesivo de peso.

Si no se trata, puede provocar graves problemas de salud a largo plazo, incluyendo trastornos cardiovasculares, depresión, altos niveles de colesterol, patologías renales, artritis e infarto.

Prevención de estos trastornos

Aunque sabemos que algunos adolescentes son más vulnerables que otros a la anorexia y la bulimia, hay cosas que los padres pueden hacer para reducir el riesgo:

- No critiques la forma corporal de tu hijo o de tu hija.
- Destaca sus cualidades y potencia su autoestima acerca de su aspecto físico y capacidad académica.
- No deposites en él expectativas no realistas que pueda ser incapaz de conseguir y sentirse inútil y fracasado.
- Dale un buen ejemplo no hablándole constantemente de dietas y cambiando tú mismo de dieta cada pocas semanas.

Reúne a toda la familia para comer lo más a menudo posible para poder ver exactamente lo que come tu hijo. La comunicación entre vosotros será asimismo más fluida y tendrás la oportunidad de observar si se está deprimiendo o sumiéndose en un estado letárgico.

Esperanza

Aun a pesar de todo lo dicho, no todo es descorazonador: los trastornos en la alimentación se pueden curar. Evidentemente, cuanto antes se diagnostique el problema, más fácil será ayudar al paciente. Al igual que todos los hábitos perjudiciales, cuanto antes se aborda el problema, menos tiempo habrá tenido para arraigar. La parte más difícil puede consistir en que tu hijo o tu hija reconozca que tiene un problema, ya que tanto los anoréxicos como los bulímicos tienden a negarlo. Si tienes la seguridad de que tu hijo sufre cualquiera de estos trastornos, busca ayuda de inmediato.

El retorno a una buena alimentación y una mejor salud no se producirá de la noche a la mañana y requerirá un esfuerzo de equipo: un especialista en nutrición, un médico y un terapeuta, además del apoyo incondicional de la familia y los amigos.

SI TU HIJO SOSPECHA QUE UNO DE SUS AMIGOS TIENE UN TRASTORNO EN LA ALIMENTACIÓN, ¿CÓMO PODRÍA AYUDARLO?
Los adolescentes pasan más tiempo en compañía de sus amigos en la escuela y los fines de semana que con sus padres, de manera que están en una posición más ventajosa para advertir cualquiera de los síntomas descritos anteriormente.

Si te dice que está preocupado pero que no sabe qué hacer, los siguientes consejos podrían ser fundamentales:

- Hablar en privado con su amigo y hacerle partícipe de su preocupación, pero nunca delante de otras personas.
- Decirle que comprende su situación y que está dispuesto a ayudarlo.
- Ofrecerse a realizar la primera llamada al médico o psicólogo y acompañarlo.

- Potenciar su autoestima y darle a entender que lo aprecias por ser quien es y no por lo que hace.
- Aconsejarle no hablar constantemente del trastorno que padece.
- Comentarlo a sus padres o algún familiar en quien confíe. No significa chivarse, sino mostrar responsabilidad y preocupación por su amigo.

Drogas

Una de las mayores preocupaciones de los padres, además del embarazo de su hija, es el consumo de drogas. Independientemente de la escuela a la que vaya el chico o del lugar de residencia, las drogas están siempre al alcance de los adolescentes. Aunque lógicamente no queremos que nuestros hijos tengan el menor contacto con ellas, considerarlo «absolutamente prohibido» y una actitud de blanco o negro podría no ser el enfoque más apropiado, actuando incluso a modo de muleta roja para un toro bravo: «Si está totalmente prohibido, vamos a probarlo». Asimismo, algunos padres creen que hablando de las drogas con sus hijos los están animando a probarlas. ¡Como si nunca fueran a oír hablar de ellas! Desengáñate, las cosas hoy en día no son así. Estarías pecando de inocente. Todos los adolescentes han oído hablar de las drogas.

Si toda la familia se reúne para comer con regularidad, podrías plantear alguna vez este tema. También es posible que sea tu propio hijo quien lo haga, curioso por conocer tu opinión al respecto. Si te muestras muy estricto e inflexible respecto al consumo de drogas, es probable que si decide probarlas o tiene una mala experiencia, nunca lo admita y tema comentarlo contigo. Explícale que el único que sale ganando con las drogas es el vendedor, que intenta seducir a la mayor cantidad posible de chicos y chicas, cualquiera que sea su edad, para llenarse los bolsillos. Procura que tu hijo comprenda que los vendedores son personas sin escrúpulos, la escoria de la sociedad (eso por si la idea de «llenarse los bolsillos» pudiera despertar su interés).

Los adolescentes intentan desesperadamente asumir el control de su propia vida, de manera que cuando más se les prohíbe algo, más probable es que lo hagan. Por muy maravilloso y sensible que consideres a tu hijo, nunca subestimes el atractivo de experimentar y la presión de sus iguales. Cuando llegue el momento, evita las prohibiciones radicales y también las actitudes indiferentes, otro error muy frecuente. Explícale cuáles son los riesgos, efectos y consecuencias del consumo de drogas y cómo evitarlas.

Lee la información de las páginas siguientes para conocer mejor sus características y sus efectos. Perderás el respeto de tu hijo si llega a la conclusión de que sabe más que tú acerca del tema.

Dile que la tenencia de drogas es ilegal, que puede llevarlo a prisión y tener consecuencias de por vida. Un expediente policial podría, entre otras muchas cosas, impedirle viajar al extranjero, un deseo que comparte la mayoría de los chicos de esta edad. También podría tener dificultades a la hora de conseguir un empleo.

Es inevitable que tu hijo te pregunte si las probaste alguna vez cuando eras joven. Sé sincero. Si fumaste cannabis, díselo, explícale cómo te sentiste y por qué lo hiciste.

Cuando mis hijos me preguntaron, confesé haber fumado unos cuantos porros de marihuana en fiestas cuando tenía diecinueve años, pero que prefería tomar una copa, ya que con el hachís me sumía en la apatía y me pasaba toda la fiesta sentado y mirando al techo. Por lo menos, una copa no te quitaba las ganas de bailar. A continuación me preguntaron si habría algún problema en que lo probaran. Quedaron muy complacidos cuando les respondí que si les ofrecían un porro a los dieciocho años, no antes, podían hacerlo, siempre que se tratara de cannabis y no de otras drogas. Asimismo, les expliqué cuáles eran los terribles efectos del éxtasis o la heroína.

Algunos meses más tarde, mi hija mayor me contó que había fumado hachís en una fiesta y que estaba de acuerdo conmigo acerca de sus propiedades super relajantes. Cuando empecé a hablar con ella de este tema, soltó una carcajada y me dijo que en realidad no lo había probado, que sólo quería ver mi reacción para saber si me lo tomaría con tanta tranquilidad como había anunciado. Comprendí inmediatamente que aquella actitud distendida menguó su «necesidad» de probarlo.

La adicción a las drogas casi nunca se produce como resultado de una simple experiencia adolescente, sino a consecuencia de un problema de mayor envergadura. Los adolescentes que mantienen una buena comunicación con sus padres y cuentan con su apoyo para enfrentarse a las dificultades son mucho más capaces de controlarse y tomar decisiones acertadas que los chicos sobreprotegidos o que reciben un escaso apoyo y orientación.

RAZONES POR LAS QUE LOS ADOLESCENTES CONSUMEN DROGAS

- Potenciar su autoestima.
- Ansiedad.
- Escapar de los problemas familiares o emocionales.
- Curiosidad.
- Parecer «adultos» delante de sus amigos.
- Integrarse en un grupo de iguales.

CÓMO SABER SI TU HIJO TIENE PROBLEMAS CON LAS DROGAS

Muchos de estos síntomas y situaciones son normales en los adolescentes; estate alerta y sé flexible en tu diagnóstico.

- Apatía.
- Cambios en las pautas de apetito.
- Cambios en el estado de ánimo.
- Irritabilidad o agresividad.
- Pérdida de interés en las actividades sociales normales.
- Falta de higiene personal.
- Escasez de dinero, incluso hurta dinero familiar.
- Cambios en las pautas del sueño.

ATENCIÓN A ESTOS OBJETOS

- Cucharas descoloridas (por el calor).
- Pedacitos o tirillas de papel de aluminio.
- Pedacitos de film de plástico (de cocina).
- Terrones de azúcar.
- Papel de liar cigarrillos y filtros de cartón.
- Fogones de butano.
- Cigarrillos abiertos.
- Pipas de diferentes modelos.
- Jeringuillas o agujas.
- Pequeña botella de plástico con un tubo de cristal en su interior.

QUÉ HACER SI SOSPECHAS QUE TU HIJO TIENE PROBLEMAS CON LAS DROGAS

Antes de entrar en su cuarto y buscar evidencias, con lo cual sólo conseguirás que te considere indigno de su confianza y que recele de ti, siéntate con tu hijo y dile en un tono de voz normal que estás preocupado por su cambio en el comportamiento y que dado que siempre has sido sincero con él, te gustaría que también él lo fuera contigo. Explícale los cambios de conducta y la falta de dinero que has observado. Dile que no vas a enfurecerte, sino que simplemente estás preocupado y desearías ayudarlo, pues te has dado cuenta de que ha rebasado el límite del porro ocasional en las fiestas y que nadie consigue abandonar este hábito por sí solo.

Muéstrate comprensivo y positivo.

Evita preguntar «¿Por qué?»; se pondrá inmediatamente a la defensiva, cuando lo que quieres en realidad es que se sincere y hable. Pregúntale «¿Cómo?», «¿Dónde?», «¿Qué?» y «¿Cuándo?», y cualquiera que sea la respuesta, no arquees las cejas con asombro, hagas comentarios reprobatorios o enjuicies su comportamiento. Escúchalo y trata de obtener la mayor cantidad posible de información. No intentes descubrir un «culpable»; perderás el tiempo y será contraproducente. Y no des por sentado que sabes por qué, pues sólo conseguirás enojarlo y además es muy probable que te equivoques.

Centra la conversación en lo que puedes hacer para ayudarlo y no en lo lamentable que es lo que está haciendo contigo o su salud. Lo que importa es que se dé cuenta de que lo apoyarás incondicionalmente, pero que también él tendrá que esforzarse.

Si te crees incapaz de hablar con él sin disgustarte, coméntalo con otro padre, su tío favorito o su padrino.

Si no sabes a ciencia cierta lo que debes decir, llama a una línea de ayuda contra la drogadicción o dirígete a un centro especializado para que te aconsejen. Nunca hables con tu hijo mientras estés enfadado. Como es lógico, como padre te sentirás aterrado, enfurecido y confuso, pero no le transmitas estos sentimientos; es probable que se sienta de por sí mucho peor que tú. Y por el mero hecho de haber encontrado papel de liar cigarrillos y una pequeña cantidad de hachís en el bolsillo de sus vaqueros cuando ibas a lavarlos, no te des por vencido, no pienses que la situación ya no tiene remedio ni que un adicto siempre será un adicto independientemente del apoyo que reciba. Podría simplemente estar experimentando ocasionalmente con sus amigos. Si no mantienes una relación estrecha con tu hijo y sueles cenar en familia, observa cualquier posible cambio en su conducta y ponle punto final antes de que sea demasiado tarde. Aunque sea adicto a las drogas, no te rindas; puedes ayudarlo de mil y una formas.

Algunas páginas Web facilitan información y consejos sobre cómo hay que proceder en estos casos. Consulta www.fad.es (Fundación de Ayuda contra la Drogadicción), www.sindrogas.com (Regreso a la Vida, A.C.) o www.risolidaria.org.es (Risolidaria, Solidaridad en internet).

Sam: «Una buena forma de eludir la presión de los iguales es decir: "En la escuela están haciendo tests de drogadicción y los profesores sospechan de mí". No perderás tu buena reputación y todos comprenderán que tienes una buena razón para no consumir».

Cannabis

El cannabis, también se conoce como ganja, hierba, hash, hachís, marihuana, kif, peta, tate, pasto, mota, chocolate, entre un largo etcétera de nombres.

El cannabis es la droga más utilizada en Occidente. Es relativamente barata y fácil de conseguir.

ASPECTO

Se presenta en diferentes formas. El hachís es una sustancia negruzco-amarronada elaborada a partir de la resina de la planta y que a menudo es un poco pegajosa. La hierba se elabora con las hojas secas de la planta y tiene aspecto de hierba secas de jardín. El aceite de cannabis es un líquido oscuro pegajoso que se suele vender en un botellín y se unta en el papel del cigarrillo antes de fumarlo.

El cannabis se suele mezclar con tabaco y se fuma en forma de «porro», es decir, de canutillo liado a mano. También se puede fumar en pipa. Hay quienes lo prefieren en infusión o lo incluyen en los bollos o tartas como un ingrediente más.

EFECTOS

El efecto del cannabis puede variar desde una sensación de felicidad, relajación o apatía hasta el malestar general y la paranoia. Afecta a la coordinación, de manera que quienes lo consumen no deberían conducir. Cuando se ha consumido en grandes cantidades, los ojos enrojecen y el apetito es voraz.

Los fumadores de cannabis son más propensos a desarrollar una adicción al tabaco que fuman mezclado con aquel producto que quienes lo consumen sin mezclar. Sólo alrededor del 10% se convierten en drogodependientes. Si sólo se usa durante un breve período de tiempo, suele ser fácil dejar el consumo sin síntomas de deshabituación.

Éxtasis

Conocido también como E, bollitos, hamburguesas, galletas, «Rolex», delfines y XTC.

Adquirió popularidad a principios de los noventa entre los fanáticos del «acid music». Su consumo les permitía bailar ininterrumpidamente durante toda la noche.

ASPECTO

Conocido por los químicos como MDMA, el éxtasis puro es un polvo blanco cristalino que se suele vender en forma de tableta. Aun así, el consumo directo del polvillo es cada vez más común. Hay tabletas de diferentes colores e incluso pueden estar decoradas con dibujos o logotipos.

Al igual que con las mayoría de las drogas, el éxtasis se elabora a menudo con ingredientes más baratos, tales como anfetaminas, cafeína y residuos orgánicos.

EFECTOS

Las tabletas se tragan, aunque algunas personas prefieren fumar o esnifar el polvo. La droga surte efecto transcurridos treinta minutos y dura de tres a seis horas. El consumidor mantiene un elevadísimo nivel de energía, se siente extremadamente despejado y desarrolla un extraordinario sentimiento de camaradería con quienes lo rodean.

En su vertiente negativa, los consumidores pueden sentirse ansiosos, experimentar ataques de pánico, brotes epilépticos en los primeros consumos, confusión y paranoia.

El éxtasis eleva la temperatura corporal y el pulso cardíaco. Dado que los consumidores suelen bailar frenéticamente toda la noche en una discoteca atestada de gente, su temperatura corporal aumenta peligrosamente y pueden sufrir deshidratación. Beber demasiado, aunque sólo sea agua, puede ser fatal, ya que esta droga provoca la liberación de una hormona que interrumpe la producción de orina, interfiriendo en el equilibrio salino del organismo. Asimismo, una ingesta insuficiente también puede resultar fatal. Desde 1996 se han registrado más de doscientas muertes por consumo de éxtasis.

El éxtasis no crea adicción física, pero su uso continuado deriva en intolerancia, que obligará al consumidor a tomar más para conseguir el mismo efecto, propiciando así el desarrollo de una dependencia psicológica.

Cocaína

También se conoce como Charlie y C.

La cocaína es un estimulante de poderosos efectos a corto plazo. Por desgracia ha alcanzado una extraordinaria popularidad como «droga de glamour», pues suele estar asociada a las estrellas de la música, de la televisión y del cine, debido en parte a su exagerada reputación de «cortarse» con tarjetas de crédito y esnifarse con billetes de banco enrollados. Es una droga muy cara que muchos vendedores sin escrúpulos no dudan en mezclar con polvo de talco, azúcar y almidón, además de algunos detergentes en polvo domésticos.

ASPECTO

La cocaína es un polvo blanco que se suele «cortar» en líneas con una hoja de afeitar y esnifar mediante un billete de banco, un tubo de cristal o una pajita de refresco. También se utilizan las cucharillas. En ocasiones se fuma, diluye o inyecta.

EFECTOS

La cocaína hace que los usuarios se sientan en la cima del mundo y seguros de sí mismos. Eleva la temperatura corporal, aumenta el pulso cardíaco y elimina el apetito, pero sus efectos sólo duran aproximadamente veinte o treinta minutos, desencadenando un deseo inmediato de consumir un poco más. De ahí su carácter extremadamente adictivo. La deshabituación es un proceso complejo, ya que los dependientes se sienten tan faltos de energía y tan «vulgares» al interrumpir el consumo que no tardan en sentirse nuevamente tentados a consumir.

A largo plazo provoca depresión, paranoia y ansiedad. Asimismo, esnifar demasiado cocaína destruye los tejidos nasales y reduce considerablemente el impulso sexual. Las sobredosis pueden producir la muerte, y los usuarios con trastornos cardiovasculares o tensión arterial alta corren graves riesgos de infarto.

Crack

El crack se elabora con cocaína, bicarbonato sódico y agua. Se llama así a causa del sonido «crujido» al arder. Es un potente estimulante de efectos a corto plazo, y muy, muy adictivo.

ASPECTO

Pequeños grumos o «piedras» del tamaño de una uva pasa. Se suele fumar en pipa, tubo de cristal, botella de plástico o papel de aluminio. También se puede inyectar.

EFECTOS

Los efectos son idénticos a los de la cocaína, pero mucho más potentes y breves: dos minutos de «gloria» en un total de diez. La dependencia es extraordinaria. El usuario experimenta una abrumadora necesidad de consumir más. Alucinaciones, cambios bruscos en el estado de ánimo y paranoia grave pueden acompañar a las «subidas», y algunos usuarios se muestran violentos y agresivos. Durante los estadios de «baja», se sienten deprimidos, cansados y enfermos.

La sobredosis y la mezcla con otras drogas tales como la heroína y el alcohol provocan la muerte.

Heroína

También se conoce como *brown sugar* y muchos consumidores creen incorrectamente que no es adictiva. La heroína es un opiáceo elaborado con la morfina de la planta del opio, y es un analgésico muy eficaz. Se fuma, se esnifa o se disuelve en agua y se inyecta. La heroína es carísima, de ahí que a menudo los usuarios recurran a la delincuencia para costearla.

ASPECTO

La heroína pura sin cortar, es decir, la que prescriben los médicos, es un polvo blanco, pero a causa de su elevado valor en la calle, los distribuidores la cortan con polvos de talco o incluso gravilla molturada, adquiriendo una tonalidad blancuzco-amarronada.

EFECTOS

La heroína elimina el dolor físico ralentizando los procesos orgánicos. La subida es inmediata, y una dosis pequeña suele producir una sensación de bienestar. En dosis más elevadas provoca somnolencia o una relajación extrema.

Las probabilidades de adicción a la heroína son extraordinarias. Los consumidores necesitan tomar más y más para conseguir los efectos deseados e incluso más para sentirse «normales». La dependencia es física y psicológica. Se han desarrollado fármacos para el tratamiento de la adicción.

La sobredosis, mezcla con alcohol o con otros fármacos puede producir insuficiencia respiratoria y la muerte, que también puede ser consecuencia de la asfixia provocada por vómito, ya que la heroína interrumpe el reflejo de la tos. Los usuarios que utilizan jeringuillas con regularidad corren el riesgo de sufrir daños en las venas e incluso gangrena, y desarrollar la enfermedad del sida (VIH).

La legislación española en materia de drogas

El Código Penal español de 1995, en su Art. 368, regula los delitos contra la salud pública donde se castiga como delito el cultivo, la elaboración y el tráfico de drogas tóxicas, estupefacientes o sustancias psicotrópicas, así como en general, cualquier otra actividad (incluida la posesión) que tienda a promover, favorecer o facilitar el consumo ilegal de unas y otras.

El indicado texto legal mantiene, a efectos de aplicación de las penas por el citado delito, la distinción entre drogas que causan grave daño a la salud y drogas que no causan ese grave daño, pudiendo aplicar a las primeras una pena de prisión de hasta 20 años, y a las segundas un máximo de hasta 6 años y nueve meses de prisión, y en ambos casos multas de hasta un séxtuplo del valor final de la droga.

El Art. 369 del Código Penal, establece cuáles son las circunstancias agravantes de los delitos relativos a los actos de cultivo, elaboración y tráfico de drogas, para las cuales en tal caso se impondrá una pena privativa de libertad de hasta 13 años y medio, y la multa del tanto al cuádruplo.

Entre otras circunstancias agravantes destacan las siguientes:

1. Que las drogas tóxicas, estupefacientes o sustancias psicotrópicas se faciliten a menores de dieciocho años o disminuidos psíquicos, o se introduzcan o difundan en centros docentes, en centros, establecimientos y unidades militares, en establecimientos penitenciarios o en centros asistenciales.
   [...]
9. Que se utilice a menores de dieciséis años para cometer estos delitos.

Tabaco

Independientemente de todas las advertencias acerca de los peligros que supone el tabaco para la salud, muchísimos adolescentes fuman con regularidad, haciendo caso omiso de las etiquetas blancas y letras negras «FUMAR PUEDE MATAR» en las cajetillas. Según parece, las estadísticas que demuestran que un tercio de las personas que fuman mueren a causa del tabaco tienen un escaso impacto social. Los adolescentes suelen creer que van a vivir eternamente; la edad de sus padres y abuelos va más allá de su comprensión. Si mencionas los problemas asociados al consumo del tabaco, tales como el cáncer o el

infarto, están convencidos de que habrá algún tratamiento adecuado. Si mencionas a las chicas que inhalar el humo reseca y escama la piel, responden que con la cirugía estética y las cremas hidratantes todo tiene solución. Creen que «controlan», que pueden dejar de fumar cuando les apetezca y que nunca caerán en la dependencia, cuando precisamente ésta tal vez sea la única forma de ofrecerles razones para no empezar.

¿POR QUÉ EMPIEZAN A FUMAR LOS ADOLESCENTES?

No hace falta ser un científico para determinar la causa por la que los adolescentes empiezan a fumar: creen que es de adultos; la presión de los iguales es asombrosa. Es una de aquellas actividades que, al igual que el sexo, están siempre asociadas a la adultez. Por ende, fumar y practicar el sexo es una combinación «muy adulta». ¿Cuántas películas vemos en las que héroes reales o villanos fuman? ¿Cuántas secuencias muestran al protagonista exhalar lenta y placenteramente el humo de un cigarro? ¿Y cuántas otras películas habrán visto en las que los actores encienden un cigarrillo después de una sesión de sexo «sensacional»?

¿QUÉ SE PUEDE HACER?

Decirle a un adolescente que no debería fumar es un ejercicio francamente inútil. La imposición mediante una actitud de «Soy tu padre y lo sé mejor que nadie» tampoco da resultado. Tu hijo se encogerá de hombros, se enfurecerá, gritará, hará oídos sordos o negará que fuma.

Explícale que sabes que muchos de sus amigos fuman y que lo que te preocupa, además de su salud, es el temor a la adicción (ésta es la parte que no comprenderá; ¿cómo saberlo sin haberlo experimentado?).

Siéntate con él en privado y dile que al principio fumar es una opción, pero que luego acaba por convertirse en una dependencia. No sólo fumará, sino que se convertirá en un fumador y pasará a formar parte de su estilo de vida. Creerá que es capaz de dejarlo cuando quiera, pero estará en un error. Incluso puede pasar toda la vida creyendo que puede «pasar» de los cigarrillos cuando le venga en gana, y aun en el caso de que lo consiga con la ayuda de parches y otros tratamientos, nunca llegará el día en el que no piense en fumar. Y ahí reside el peligro. El más mínimo estrés desencadenará la reincidencia. Lo mismo les ocurre a los alcohólicos.

Con el creciente número de espacios públicos en los que está prohibido fumar, el fumador tiene que planificar cuándo y dónde podrá hacerlo. El disfrute de una película en el cine quedará arruinado esperando el final para poder salir y fumar un cigarrillo. Se convertirá en uno de aquellos desdichados que deben permanecer de pie en los fríos días de invierno a la puerta de la oficina a causa de las políticas anti-tabaco. Tampoco está permitido fumar en los restaurantes, aviones, comercios, trenes y autobuses. Ha dejado de ser una ocasión social. A decir verdad, es muy anti-social, pues es la única adicción que afecta directamente a los demás. Un drogadicto puede esnifar una raya de cocaína a tu lado y no te afectará lo más mínimo, y lo mismo vale para un alcohólico, pero un fumador encenderá un cigarrillo y te convertirás en un fumador pasivo, además del consabido olor a tabaco en el pelo y la ropa.

Asimismo, fumar no sólo afecta seriamente la salud, sino también el bolsillo. El tabaco es caro.

Si tu hijo ha crecido viéndote fumar, es relativamente natural que siga tu ejemplo. Los niños son más propensos a hacer lo que haces que lo que dices. Si no fumas, no permitas que lo haga en casa aunque sepas que fuma cuando está fuera.

Intenta explicarle que el tabaco es tan adictivo que incluso fumará cuando esté enfermo (durante la guerra en Bosnia, la gente cambiaba alimentos por cigarrillos aunque sus familias pasaran hambre).

EL ÚNICO GANADOR

Los únicos que se sienten completamente satisfechos con la adicción a los cigarrillos son las compañías tabaqueras, que invierten millones de libras en investigar el comportamiento adolescente para manipularlos y conseguir que empiecen a fumar.

Dile a tu hijo lo que gastará fumando y en la cantidad de prendas de vestir, CD, DVD, cine, discotecas, etc. que podría comprar con ese dinero cada año.

CONCLUSIONES

Al término del día, la mejor manera para intentar y lograr que el adolescente no fume se refleja en muchas otras áreas de su vida en pleno desarrollo. Dale la oportunidad de elegir acerca de su futuro. Después de haberle explicado los inconvenientes de la adicción, dile que es inteligente y responsable, que será lo que elija ser y que estás convencido de que lo hará con sensatez.

Bebida

Cada vez es mayor el número de estudios que indican que el consumo de alcohol entre los adolescentes va en aumento. Así pues, el alcohol es otro problema que los padres tendrán que afrontar en su relación con sus hijos. En cualquier caso, es preferible optar por una comprensión sana del alcohol y las formas de disfrutarlo con moderación que por «demonizarlo» y prohibirlo rotundamente.

Al igual que el tabaco y el sexo, la bebida está considerada como una actividad adulta, y cuanto más intentes impedir a tu hijo que beba, mayores serán las probabilidades de que intente hacerlo a tus espaldas. Personalmente, recomiendo a los padres demostrar a sus hijos que confían suficientemente en su sentido de la responsabilidad e invitándolos a beber en casa. Cuanto mayor respeto muestres por algo, menos probable será que abuse de ello.

Alrededor de los catorce años y con ocasión de alguna celebración especial en casa o una cena en un restaurante, pregúntale si le apetecería tomar un poco de vino mezclado con agua o gaseosa. Es una costumbre muy arraigada en Francia que parece haber erradicado en gran medida la cultura del consumo excesivo. Con esta actitud estarás demostrándole que lo consideras lo bastante «adulto» y responsable como para beber con cordura. Ten por seguro que no le gustará su sabor y que preferirá agua o zumo. Sea como fuere, cuando los padres ofrecen alcohol a un adolescente, la necesidad de probarlo y consumirlo a sus espaldas da la sensación de perder atractivo.

Cuando tu hijo empiece a beber contigo, siempre con moderación, será mucho más fácil que comprenda cuál es la mejor manera de asumir este hábito en el ámbito de las relaciones sociales. Al ofrecerle alcohol en un entorno adulto, tu hijo se dará cuenta de que lo consideras como adulto y que confías en él para que beba responsablemente. Si ha cumplido los dieciséis años, te pide una cerveza y le respondes automáticamente «Por supuesto que no, sólo tienes dieciséis años», no te sorprenda que compre un par de latas y las beba en el parque con un amigo.

Si tu hijo te ve bebiendo en el entorno familiar, quizá incluso uno o dos vasos de vino durante la cena, le estás dando un ejemplo de cómo se puede disfrutar esta bebida, pero si sólo te ve ebrio en las fiestas o en el bar, su concepto del alcohol será muy diferente y seguirá tu ejemplo.

Dile a tu hija, que podría estar preocupada por su peso, que el alcohol engorda y que es fatal para la piel.

Muy pocos adolescentes comprenden (y en realidad, ¿por qué deberían hacerlo?) que el contenido alcohólico de un vaso de vino no es el mismo que el de un vaso de vodka. Dado que las papilas gustativas de los adolescentes aún se están desarrollando y muchos de ellos empiezan con vinos dulces, actualmente los fabricantes de bebidas están produciendo todo tipo de «alcopops», es decir, bebidas dulces mezcladas con alcohol. Explícale que ese sabor dulzón esconde un considerable contenido alcohólico.

Cuando tu hijo empiece a frecuentar los pubs y discotecas con sus amigos, aconséjale que alterne las bebidas alcohólicas con un vaso de agua, y cuéntale la verdad de algunos mitos relacionados con la bebida:

- «No te emborracharás si no mezclas las bebidas.» Es un error. Bebe la suficiente cantidad de alcohol y te embriagarás.
- «Si bebes vino de calidad, no te emborracharás.» Otro error. Y por desgracia, lo he experimentado personalmente.
- «Bebe leche antes del alcohol y no te emborracharás.» De nuevo un error. En realidad, la leche se corta (cuaja) con el contenido ácido del alcohol.

Drogas «afrodisíacas»

Desafortunadamente, todos hemos oído hablar de las sustancias supuestamente «afrodisíacas» que se suelen añadir discretamente a las bebidas de las chicas en los pubs y discotecas y que provocan una pérdida de inhibición, desorientación y pérdida de la consciencia.

El rohypnol, conocido también como «roofy» y el ácido gamma-hidroxilbutírico (GHB) o líquido de éxtasis, son incoloros, inodoros e insípidos, de manera que es imposible detectarlos en la bebida. Explica a tu hija cómo puede evitarlos:

- No dejar nunca el vaso en la barra; llevarlo siempre en la mano. Si lo ha dejado aunque sólo sea unos segundos, dejarlo y pedir otra copa.
- No aceptar una bebida o una botella abierta de un desconocido y observar al *barman* cómo prepara el cóctel.
- Aplicar el pulgar en el borde de una botella abierta si va a beber de ella.
- Hacer un pacto con sus amigos para que todos vigilen la bebida de los demás cuando bailen o vayan al baño.
- No beber nunca de cuencos de ponche en las fiestas a menos que se trate de una reunión de verdaderos amigos.
- Si sospecha que ella misma o alguna de sus amigas ha ingerido la droga, dirigirse inmediatamente al servicio de urgencias del hospital más próximo. Experimentará un cosquilleo en la nuca y se sentirá súbitamente ebria y desorientada. Si sabe quién ha echado la sustancia en la bebida, avisar enseguida a la policía.
- Si no está con amigos, dile que vaya al lavabo de chicas sin cerrar la puerta con el pestillo, que te llame a ti o a cualquier familiar adulto, le diga dónde está y espere su llegada.

¿Por qué beben tanto los adolescentes?

La falta de apoyo paterno, la falta de comunicación, una disciplina incoherente y la hostilidad hacia los adolescentes son causas de los problemas de consumo excesivo de bebidas alcohólicas en la adolescencia.

La presión de los iguales a tomar determinadas bebidas o en cantidades abusivas constituye un verdadero problema difícil de solucionar. Muchos adolescentes se sienten inseguros de sí mismos, y el alcohol les da confianza y los desinhibe. Una cierta cantidad de alcohol puede propiciar la diversión, y un consumo excesivo hace que las preocupaciones y las penas desaparezcan (temporalmente).

Si tu hijo sospecha que alguno de sus amigos bebe demasiado, dile que habla con él acerca de su preocupación, y si se niega a aceptarlo, que lo comente con sus padres o su profesor. Los adolescentes se muestran muy reticentes a hacerlo, pues temen perder su amistad. Sin embargo, un verdadero amigo debe buscar ayuda. Procura que comprenda que los adultos no son completamente estúpidos y que no dirá cómo lo ha descubierto. En cualquier caso, los padres suelen averiguar muy fácilmente si alguno de sus hijos está bebiendo en exceso.

Beber y conducir

Cuando tu hijo tenga la edad suficiente como para empezar a frecuentar los bares con sus amigos, adviértele que jamás debe montar en un coche conducido por una persona que haya consumido alcohol. A cualquier hora de la noche y en cualquier circunstancia puede llamarte para que vayas a buscarlo.

Y cuando ya pueda conducir, aconséjale que no tome ninguna bebida alcohólica, ni siquiera una sola. Infringir esa norma supondrá quedarse sin coche durante un mes.

Cuestiones triviales en la adolescencia

Rivalidad entre hermanos

La rivalidad y los celos entre hermanos adolescentes es normal, sobre todo a los catorce o quince años y lo único que pueden hacer los padres es asegurarse de no decir ni hacer nada que pueda propiciar una discusión. No elogies nunca a uno y critiques al otro: «No sé por qué te cuesta tanto la biología; tu hermana saca excelentes calificaciones».

Los adolescentes varones suelen pelearse constantemente, pero a menos que se hagan daño, es preferible dejarlos en paz. Los hermanos discuten a menudo; deja que saquen sus propias conclusiones y que firmen sus propias «treguas». Suele ser el alboroto y los gritos lo que impulsa a los padres a intervenir o cuando uno de ellos se encara directamente con papá o mamá. Evita a toda costa frases tales como: «Quiero saber qué está pasando»; sólo conseguirás caldear más el ambiente mientras se enzarzan en una lucha de gritos entrecruzando sus historias contrapuestas. Un enfoque más controlado sería: «Vamos, vamos, chicos, los adultos solucionan sus diferencias dialogando». Sin embargo, si se impone saber qué está sucediendo, prueba con «Quiero que cada uno me dé su punto de vista acerca de lo que está ocurriendo. Cuando uno hable, el otro no lo interrumpirá. Cada cual esperará su turno. ¿Comprendido?». Escucha sus versiones del problema y pregúntales cómo creen que se podría zanjar (habitualmente se tratará de algo sin la menor importancia, como por ejemplo quién se sienta dónde, que DVD van a ver o uno que acusa al otro de haberle quitado un CD). Escucha su decisión, y cuando estén de acuerdo, márchate. Anímalos siempre a resolver sus problemas para que no tengas que erigirte en juez y jurado en caso de desacuerdo. Dentro de algunos años no tendrán la posibilidad de recurrir a tu intervención para terciar en las negociaciones y compromisos. Conviene, pues, que adquieran la mayor práctica posible.

De chófer

Es muy difícil evitar estar a la entera disposición de tu hijo. Ahora tiene una cierta independencia y vida social, pero es aún demasiado joven para conducir y tal vez no residas en un área dotada de un buen sistema de transporte público. Los adolescentes dan siempre por sentado que estamos permanentemente ahí para echarles una mano cuando haga falta. En ocasiones incluso me da la sensación de que están convencidos de que pasamos todo el tiempo sentaditos en el sofá esperando su siguiente solicitud. Muy a menudo tu hija te pedirá que la acompañes en coche a un lugar determinado. «¿Cuándo?» «Ahora mismo, por favor», sin previo aviso, aunque haya estado dos horas en su cuarto acicalándose y cambiándose mil veces de vaqueros y de top. «¿Y cómo regresarás?», «¿Podrías recogerme a media noche?» Lógicamente, también tú tienes tu vida social. Sabido es que los adolescentes no son demasiado organizados, de manera que es aconsejable preguntarle a tu hija con suficiente antelación si va a necesitar que la lleves en coche, dónde y a qué hora.

No te conviertas en el servicio de padre-taxi para todos sus amigos. Si los llevas una semana, otro padre podría ocuparse de hacerlo la siguiente. De lo contrario, se acostumbrarán a que te encargues tú. Y si ningún otro padre se muestra predispuesto a acompañarlos, diles que los llevarás, pero que esperas que el fin de semana vengan a tu casa y laven el coche. Aceptarán sin rechistar.

Incluso diez minutos más tarde de haber discutido y cuando aún te sientes emocionalmente herido, es posible que tu hija te pida que la acompañes, como si no hubiera pasado absolutamente nada. No

«Pues claro que te llevaré en coche, hijo mío.»

aceptes siempre aunque espere que lo harás. Dile con calma que estás tan disgustado por la forma en la que te ha hablado que simplemente no quieres llevarla. Es perfectamente razonable explicarle con la mayor serenidad posible cuán molesto te sientes. Te pedirá perdón inmediatamente, aunque eso no siempre te hará sentir mejor.

Llevar en coche a sus hijos forma parte de la tarea de padre, pero no tiene por qué ser necesariamente una función unidireccional. De acuerdo, va a acompañarla a una fiesta el fin de semana, pero sólo después de que haya hecho algo por ti, como por ejemplo vaciar y llenar de nuevo el lavavajillas, pasar la aspiradora en la sala de estar o planchar. Como padres tenemos la obligación de preparar a nuestros hijos para el mundo real fuera de casa, y ésta es una lección más: haces algo por mí y yo haré algo por ti. Aun así, muéstrate altruista de vez en cuando. Te lo agradecerá en su justa medida.

Sam: «Me parece bien el modo en que mis padres se muestran predispuestos a llevarme en coche la mayoría de las veces que se lo pido, y cuando mamá me pide, a cambio, que ordene el despacho, no tengo el menor problema en hacerlo, pues no pretendo tomarme libertades. Me parece justo. El mero hecho de que mi madre sepa que estoy dispuesta a ayudarla si me lo pide hace que no me lo pida demasiado a menudo y que aun así me acompañe».

Teléfonos móviles

¿Qué hacíamos sin teléfonos móviles cuando éramos adolescentes? Utilizábamos los teléfonos públicos. Pero intentar que un adolescente de hoy comprenda este concepto es como imaginar nuestra vida sin la rueda. Los móviles forman parte integral de nuestra cultura y se han ganado un lugar por derecho propio en el mundo actual, aunque como todo, tienen sus ventajas y sus inconvenientes.

PROS

- Los chicos pueden llamar para decir dónde están, por qué se retrasarán y a qué hora es probable que estén en casa.
- En caso de emergencia pueden llamar a la policía, los bomberos o una ambulancia.
- Podemos llamarlos para recordarles que, de vuelta a casa, pasen por el supermercado y compren un brik de leche.
- Confiscar el teléfono como castigo positivo.

Los adolescentes no tienen conciencia de cuánto rato pasan al teléfono.

CONTRAS

- Los chicos están permanentemente pegados al teléfono hablando con sus amigos sin tener ni idea del coste de las llamadas (algunas facturas son quilométricas).
- Se agota la batería o no hay cobertura cuando los llamas.
- Se pierden con facilidad, aunque la mayoría de los chicos estarían dispuestos a perder a su abuela antes que su móvil.

Control de las facturas del teléfono móvil

Si tu hijo gasta una barbaridad en llamadas con el teléfono móvil, toma alguna de las medidas siguientes:

1. Opta por el sistema de pre-pago (tarjeta de recarga). Explícale a cuánto asciende su asignación semanal y su equivalente en minutos de llamadas. La mayoría de los adolescentes, y también muchos de nosotros, no tienen la menor idea del coste de un mensaje de texto o de un minuto de llamada.

2. Dile con toda claridad que si se queda sin dinero el martes, no habrá más hasta el fin de semana. Estate preparado para un alud de expresiones tales como «¡No es justo!», «¡No puedes hacerme esto!», «¡Pero lo necesito!» y «¿Y qué hago en caso de emergencia?». Aconséjale que, llegado el caso, utilice una cabina telefónica. Aunque no tenga saldo, podrá seguir recibiendo llamadas y mensajes de texto, y también llamar a los servicios de urgencia. Cede una sola vez y le estarás enseñando que puede hacerlo siempre. Mantente firme y pronto aprenderá. Adviértele de que si se te agota el dinero antes de finales de mes, no puedes dirigirte a tu jefe para pedirle que te adelante el salario del mes siguiente.

3. Si has contratado una línea, hay un número al que se puede llamar para saber cuántos mensajes y minutos se han utilizado. Recuérdale el montante de su asignación mensual y calcula a cuántos mensajes y minutos equivale. Ayúdalo a controlar su saldo verificándolo cada semana.

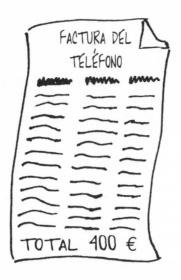

4. Si a pesar de tus explicaciones y advertencias abusa del móvil, quítaselo. No, no le gustará, y sí, se enfurecerá. Ignóralo. Eres el padre, pagas las facturas y tu hijo se está comportando irresponsablemente y debe aprender a asumir las consecuencias. Y esta consecuencia no es otra que la confiscación del teléfono, su «línea de la vida» para él. Guárdalo, si es necesario en la oficina. La primera vez, una semana, y si las cosas no mejoran, dos la siguiente. Le estás enseñando a ser responsable de sus propios actos.

Educación con el móvil

Todos somos culpables de utilizar el teléfono móvil en espacios públicos cerrados alguna que otra vez. Tu hijo debe aprender dónde y cuándo puede hacerlo. Se trata de una simple cuestión de educación. En los transportes públicos, el tono de llamada o alguien hablando molesta a los demás pasajeros. Aconséjale que apague el tono de llamada. Si no tiene otro remedio que hablar, dile que lo haga en voz baja y que sea lo más breve posible: «Estoy en el autobús, te llamaré luego». Puede devolver la llamada al apearse. También debe evitar el uso del móvil en los restaurantes, cines y teatros, y en cualquier lugar dónde la gente pueda oírlo y considerarlo intrusivo.

Recuérdale que incluso los juegos en un teléfono móvil pueden crear un ruido molesto.

Habitación

La pesadilla de millones de padres es el estado del cuarto de sus hijos adolescentes. Estoy segura de que habrás probado una amplia combinación es estrategias: amenazas, soborno, súplica, gritos, solicitud y, sin duda alguna, prácticamente todas con diferentes niveles de fracaso. De vez en cuando, como en caso de recibir por primera vez la visita de su novia, tu hijo hará un pequeño esfuerzo por ordenarla para dar una buena impresión, pero luego, en el día a día, su habitación estará, como en casa de la mayoría de los adolescentes, hecha un caos.

Zapatillas deportivas sucias, ropa arrugada por el suelo y sobre la cama, papeles esparcidos por todas partes, cajones abiertos con su contenido a medio caer, CD por doquier, platos y vasos sucios, envoltorios de galletas y de patatas fritas y latas de refresco vacías, sin olvidar un amasijo de toallas húmedas colgando de los estantes. Desengáñate, la única ventaja es que si entra un ladrón, no tendrá arrestos para «enfrentarse» a semejante desorden. Aunque nos hemos acostumbrado a cerrar la puerta cuando hay visitas, lo cierto es que la situación es las más de las veces intolerable.

Actualmente son innumerables las cuestiones que pueden provocar fricción entre padres y adolescentes. Es, pues, recomendable no añadir a la lista el fiasco del cuarto. Sin embargo, y dado que tu hijo sigue viviendo en casa, debería mostrar respeto no sólo a tus deseos, sino también a sus pertenencias.

Lamentablemente, no existe una fórmula mágica que pueda transformar en un abrir y cerrar de ojos a un adolescente descuidado en el «Sr. Aspiradora», pero sí algunas cosas que podemos hacer para que su entorno se mantenga en un estado aceptable. No seas demasiado ambicioso; baja el listón y ármate de paciencia. Sólo a ti te estresa y saca de quicio semejante desorden; tu hijo apenas se inmutará y se tomará las cosas con tranquilidad.

Cuando cumpla los trece, sugiérele remodelar el cuarto para crear un espacio adecuado cuando esté con sus amigos. Con toda seguridad deseará eliminar la colcha de Winnie the Pooh y las cortinas a juego, y cambiarlo por diseños más modernos y más «adultos». Llévatelo de compras y elige un diseño cromático nuevo y ropa de cama, tal vez con algunos cojines y una lámpara. Se sentirá mucho más satisfecho en su nuevo entorno.

No te preocupes demasiado por las paredes, pues las marcas que dejarán las fotos de gatitos, perritos, ponis y Barbies en la habitación de tu hija quedarán ocultas inmediatamente por pósters de sus ídolos. Y en cuanto se refiere a tu hijo, ten por seguro que pronto quedarán «empapeladas» con una amplísima colección de fotografías de fascinantes chicas en biquini (o sin él; tú sabrás qué hacer al respecto). Algunas personas lo consideran una falta de respeto hacia la mujer. En realidad, los adolescentes aprenden a respetarlas siguiendo el ejemplo de sus padres.

«¡Es normal, soy una adolescente!»

Dile que lo ayudarás a organizar las prendas de vestir viejas y los juguetes para disponer de más espacio. Compra un juego de percheros multifuncionales, de plástico grueso o metálicos con varias varillas, y enséñale a usarlos («¿Bromeas?»). Es mucho más fácil colgar pantalones y camisetas que doblarlos. Si sospechas que poco, o nada, va a colgar (¡vaya esfuerzo!), coloca dos cestos grandes para la ropa o un par de cubos nuevos de plástico para la basura sin la tapa del color que más le guste, y dile cuál es el de la ropa sucia para lavar. El otro lo utilizará para guardar la ropa de diario en lugar de dejarla tirada en el suelo. Ahí puede poner tu hija los diez vestidos que se ha probado para salir antes de decidirse por uno. Los nueve restantes no requieren lavado. Evidentemente, la ropa estará arrugada la próxima vez que quiera ponérsela, pero también lo estaría esparcida por el suelo. Por lo menos, en el cubo o cesto nadie la pisará (y tendrás la oportunidad de «ver» esa moqueta tan bonita que has instalado). Ayúdale una vez por semana a guardar en el armario las prendas que ha dejado en el cesto. Explícale, aunque sin pretender sermonearla, que ahora que le gustan los vestidos podría empezar a cuidarlos; durarán más.

Compra una papelera grande y pídele que tire en ella los pañuelos de papel usados, las bolsas vacías de patatas fritas y las latas de refrescos. Regálale una caja de plástico para que pueda guardar los productos de maquillaje, un casillero de pie o una caja atractiva para los CD y un par de cajas de plástico con cajones para la ropa interior, las medias y calcetines.

A partir de los quince años, enseña a tus hijos, varones o mujeres por igual, a utilizar la lavadora. Explícale cómo debe separar la ropa blanca de la de color. Si tienes secadora, muéstrale cómo funciona. Enséñale también a planchar a diferentes temperaturas (y a que no peligren sus dedos al plegar la tabla de planchar).

Y lo más importante, si no lo tiene ya, cuelga un espejo grande en su cuarto o adósalo a la pared para que pueda contemplarse, cantar, practicar cómo quiere hablar a sus amigos, bailar, probar distintos estilos de peinado y ensayar un discurso para cuando reciba un premio a la mejor estrella del pop o a la mejor actriz del año. Si no le cabe un espejo en la habitación, pasará mucho en el cuarto de baño, para disgusto de los demás miembros de la familia que también quieren usarlo.

La única esperanza reside en que cuando finalmente se mude a su propia casa, tal vez se haya convertido en una mujer ordenada. Después de todo, ¿cuántos de nosotros podemos decir que teníamos una habitación impecable cuando éramos adolescentes? ¿Lo está ahora? A veces no.

Katherine: «Mi habitación está siempre hecha un desastre; tengo dieciocho años, es normal. Las mopas me duran una eternidad. Si por mí fuera, años. ¡Creo que la última la encontraron entre los cachivaches que guardaba Fleming en su laboratorio! Aun así, de vez en cuando, cuando me lo piden (tienen que repetírmelo veinte veces), la arreglo un poco. Independientemente de lo que piensan mis padres, no creo que un cuarto un poco desordenado sea un precipicio hacia la adicción a la heroína y una vida en prisión. Sólo es ropa esparcida por el suelo».

Prendas de vestir

Antes de empezar a disgustarte y a mostrar tu desaprobación acerca de lo que tu hijo quiere ponerse o ya lleva puesto, mira algunas fotos tuyas y de tu pareja de adolescentes y cuélgalas en la puerta del frigorífico para recordar cuál era tu aspecto y cuánto desagradaba a tus padres. Ahora la historia se repite. Es la única ocasión que van a tener para vestirse como quieran antes de incorporarse al circo del mundo real. Es posible que pronto esté sometido al trance de una hipoteca, a las responsabilidades derivadas de una familia joven y un empleo que requiera traje y corbata durante el resto de su vida laboral. De manera que poco importa que ahora le gusten aquellos vaqueros raídos con zapatos deportivos verde lima y el pelo revuelto.

«¡Mamá, por Dios! No pensarás salir vestida así, ¿verdad?»

Todos hemos llevado en algún momento de nuestra vida alguna prenda de vestir fuera de lo común, y es muy probable que cuando tu hijo empiece a elegir su vestuario, no se ajuste exactamente a lo que habías previsto. Ármate de paciencia, respira hondo, cuenta hasta diez y evita los comentarios desagradables. Sé positivo.

No lo critiques. En lugar de «Pero ¿adónde crees que vas vestido así? ¡Estos vaqueros son horribles!», opta por «Preferiría aquellos pantalones que llevabas el otro día. Estabas genial».

Los adolescentes rebosan de inseguridad y ansiedad, especialmente en lo que se refiere a su cuerpo y su aspecto físico. Potencia su confianza. Todos tenemos aspectos positivos. Si tu hija se lamenta de su cintura demasiado ancha, dile que no se preocupe: sus piernas son largas, esbeltas y preciosas.

Si su atuendo la hace demasiado mayor o excesivamente «disponible», olvida las frases tales como «Pareces una cualquiera. ¿Qué van a pensar de ti?». Sugiérele un top diferente o una falda un poquito más larga. En cualquier caso, todo dependerá de adónde vaya. Si se trata de una fiesta privada y vas a acompañarla y recogerla, el riesgo será menor que si se desplaza en transporte público. Si tiene que ir así porque todas sus amigas vestirán igual, aconséjale que lleve un abrigo largo para ir y venir o un vestido menos llamativo y que se ponga la falda al llegar.

Muéstrate respetuoso con tu hijo o tu hija y pídele su opinión acerca de algo que piensas ponerte para salir. Todos necesitamos palabras amables. A menudo le pregunto a mi hija qué tal me sienta el vestido que he elegido.

Los chicos suelen ser tan fastidiosos con su ropa como las chicas. Elogia a tu hijo si crees que está guapo: «¡Vaya! ¡Estás para comerte! Tendrás que decirles a las chicas que formen cola». Pero sé sincero, y si piensas que la camisa que ha elegido le sienta fatal con el suéter, sugiérele siempre con diplomacia una alternativa.

Siempre es agradable que tu hija te pida alguno de tus vestidos o pantalones, pero deberás establecer un par de reglas. Dile que te pregunte antes de ponérselo y que si toma prestada una blusa, luego deberá ponerla en el cesto para la ropa sucia. Adviértele que si lo encuentras tirado en el suelo, te enfadarás. Pero no le digas nunca que si lo hace no volverás a dejarle usar tus prendas de vestir. Si es un jersey, sugiérele que lo doble y lo ponga sobre la cama. Si se acostumbra, no habrá problemas.

Intercambio de prendas de vestir entre hermanas

Puede ser un aspecto explosivo en la convivencia que puede provocar acalorados enfrentamientos.

Diles a tus hijas tan pronto como empiecen a tomar prestado prendas de vestir de sus hermanas que les pidan permiso y que luego se las devuelvan o se encarguen de lavarlas y guardarlas en el armario. Es posible que una de ellas pregunte, mientras que la otra se limite a llevárselo sin permiso y luego lo deje tirado de cualquier manera. Habla con ella e intenta que recapacite. Adviértele que si no corrige su comportamiento, se quedará sin asignación.

Dormir

«Cinco minutitos más»

A los adolescentes les encanta estar levantados toda la noche y dormir todo el santo día. Nos molesta que miren la televisión o que naveguen por internet hasta altas horas de la madrugada y que a la mañana siguiente no haya quien los levante de la cama para ir a la escuela. Ir y venir veinte veces a su cuarto para recordarles que van a llegar tarde es una forma muy estresante para los padres de empezar el día. Saber que no se acostaron a una hora razonable o cuando se les dijo que lo hicieran es realmente molesto. El mal humor y las reprimendas matinales están aseguradas.

Los adolescentes necesitan un mínimo de nueve horas de descanso nocturno por dos razones: primera, durante el sueño el organismo libera una hormona esencial para el crecimiento; y segundo, son incapaces de funcionar correctamente si no han dormido lo suficiente.

En realidad, necesitan dormir más que los niños y los adultos, pero lo cierto es que duermen menos.

No te lamentes por su pereza. Algunos estudios científicos han descubierto la causa de estos hábitos nocturnos. Sí, ya lo sé, estarás pensando que son paparruchas: «No necesito ningún maldito estudio científico para saber que si te acuestas tarde, no puedes levantarte pronto por la mañana». Desde luego no te estoy sugiriendo que se lo cuentes a tu hijo (¡no por favor, ni se te ocurra!), pero quizá podrías comprender mejor por qué sigue estas pautas de sueño.

El organismo del adulto produce elevados niveles de una hormona llamada melatonina por la noche, que causa amodorramiento y permite conciliar el sueño. La melatonina en los adultos entra en acción alrededor de las diez de la noche, mientras que en los adolescentes, según ensayos de laboratorio realizados en unidades de sueño, la producción se inicia a partir de la una de la madrugada. Veamos cuáles son las dos razones a las que acabamos de referirnos:

1. Debido al hábito adolescente de ver la televisión y jugar con el ordenador por la noche, la estimulación cerebral retrasa la producción de melatonina.
2. El desarrollo hormonal y los efectos de la pubertad también podrían retrasar la producción de melatonina.

Cualquiera que sea la causa, muchos adolescentes sufren privación de sueño, que puede provocar irritabilidad, cambios en el estado de ánimo, incapacidad para concentrarse, agresividad, comportamiento antisocial, depresión y escaso rendimiento académico.

En los fines de semana y durante las vacaciones escolares, deja dormir a tu hijo. Lógicamente no querrás que esté todo el día tumbado en la cama, pues podría afectar a su reloj biológico. Si no se ha levantado alrededor de mediodía, despiértalo tú.

Reglas para el descanso nocturno

Al igual que los niños pequeños, la mejor manera de ayudar a tu hijo adolescente a disfrutar de un descanso reparados es ayudarlo a establecer una rutina regular («Pero ¿está loca esta mujer?», probablemente pensarás). Acuerda con él unas cuantas reglas básicas. Procura que sus hermanos más pequeños no estén presentes; exigirán el mismo horario). Llévalo a cenar a un restaurante para poder hablar con tranquilidad.

• Acuerda la hora de acostarse. Deberás negociar. Así pues, empieza proponiendo un horario temprano para poder aceptar un compromiso un par de horas más tarde.
• Sugiérele hacer una prueba y que termine los deberes antes de cenar

para poder disponer de un rato para mirar la tele o navegar por internet.

- Explícale que la hora acordada será con las luces, el televisor y el teléfono apagados, y no la de empezar a prepararse para acostarse.
- Procura que no tome bebidas con cafeína o carbónicas durante la tarde; le resultará más difícil conciliar el sueño.
- Sugiere a tu hija un baño en agua tibia con un poco de aceite de lavanda y velas de aromaterapia para relajarse antes de acostarse.
- Insiste en que apague el ordenador media hora antes de la hora de acostarse, pues al igual que la cafeína, estimula el cerebro. Sugiérele escuchar música, leer o ver la televisión contigo.
- Debe apagar el teléfono móvil al meterse en la cama para que nadie lo moleste con llamadas y mensajes de texto.
- Cómprale una almohada y una colcha de plumas de buena calidad (también para ti). Marca la diferencia.

Fran: «Penny y yo no nos poníamos de acuerdo sobre la hora en la que deberíamos acostarnos entre semana. Le sugerí a media noche, y ella a las 10 de la noche (aunque soy consciente que es ridículo para una chica de dieciséis años). Tras una delicada negociación decidimos que dos noches por semana sería a las 11, dos a las 10,30 y una a las 10,45, un plan, por cierto, acorde con la programación que deseaba ver en la tele determinados días cada semana. También acordamos que si estaba demasiado cansada por la mañana y me costaba levantarme para ir a la escuela, las dos noches siguientes me acostaría más temprano. Para ser sincera, no siempre me apetece meterme en la cama a las 10,30, aunque tampoco me supone un problema insuperable».

Despertarlo

Hay formas de despertar a tu hijo que te permitirá, y también a él, empezar el día de buen humor, y otras que sólo suscitarán discusiones. Si a pesar del acuerdo en la hora de acostarse, se acostó tarde, se levanta tarde y llega tarde a la escuela, evita el consabido «Ya te lo dije» a primera hora de la mañana.

Compra un reloj con una buena alarma, o una radio-despertador con el volumen alto, y prográmalo veinte minutos antes de la hora de levantarse. Los adolescentes no suelen despejarse y levantarse de inmediato. Es tradición.

LA FORMA MENOS ESTRESANTE

- Acaríciale la mejilla, háblale por su nombre, y cuando empiece a desperezarse y entreabrir los ojos, dile que es hora de levantarse. Pregúntale si te ha oído y que vas a encender la luz o descorrer las cortinas.
- Dile: «Te levantarás, ¿verdad? No quiero tener que volver». Espera a que te responda o repíteselo hasta conseguirlo.
- Transcurridos cinco minutos, si sospechas que todavía no se ha levantado, llama a la puerta y pregúntale si está despierto. Es probable que se levante de un brinco.
- Si sigue en la cama, llama a la puerta, entra, despiértalo de nuevo y ayúdalo a incorporarse y a apoyar los pies en el suelo.

LA FORMA MÁS ESTRESANTE

- Gritar: «¿Cuántas veces tendré que decirte que te levantes. Ya estoy harto de hacer lo mismo cada mañana».
- Amenazarlo: «Si no te levantas en cinco minutos, no saldrás este fin de semana».
- Usar un vocabulario malsonante: «¡Levántate bola de grasa!, ¡perezoso insufrible!, ¡fuera de la cama!».

Maquillaje

A la mayoría de las chicas les gusta maquillarse. Han visto hacerlo a su madre desde que eran bebés. Es una tentación. Sin duda habrás jugado con tu hija en más de una ocasión con el carmín en los labios y la brocha en las mejillas.

Pues bien, maquillarse, al igual que otras muchas facetas en la vida a estas edades, es algo que las adolescentes creen dominar a la perfección y no aceptan la menor intromisión por parte de alguien que no sabe de lo que está hablando. Y para ser justos, ser adolescente significa probarlo todo. No obstante, como padre, hay veces en que simplemente debes intervenir.

Si tu hija se ha puesto tanto maquillaje que parece un payaso de circo, es tu responsabilidad comentárselo. Hay formas de evitar un enfrentamiento cara a cara. No le digas: «¡Ni lo sueñes! No vas a salir a la calle con dos dedos de maquillaje en la cara» y empieces a pasarle bruscamente la toallita con crema desmaquilladora. La sacarás de quicio y empeorarás las cosas. Para ella será algo así como: «No tienes ni idea de maquillarte». Los adolescentes lo «saben» todo. Sé diplomático y sugiérele sin perder los nervios que en realidad no necesita tanta cantidad de maquillaje, ya que su aspecto natural con algún sencillo retoque será mucho más atractivo. Incluso podrías preguntarle si le gustaría ir a un salón de belleza o a la sección de maquillaje en los grandes almacenes para que una esteticista le aconsejara lo que mejor le sienta. No olvides las mascarillas y las cremas hidratantes; se sentirá muy adulta. Habla primero con la profesional y dile que deseas un aspecto natural. Ruégale que elogie sus rasgos físicos. Por ejemplo, si tiene unos preciosos ojos verdes, pero ella sólo se fija en sus labios estrechos, el elogio de una desconocida puede potenciar su autoestima y su seguridad en sí misma.

Las chicas adolescentes no necesitan una base de maquillaje, pero tal vez sí una crema minimizadora de poros. Unos ojos perfilados en un tono oscuro y unos labios carmín podrá llevarlos cuando sea un poco mayor. Por ahora bastará un brillo de labios, colorete y tal vez una sombra de ojos en tono suave para salir por la noche. El perfilador de labios, de cejas y de ojos son innecesarios para las adolescentes, pero espera a que sea la esteticista quien se lo diga; hará oídos sordos a tus consejos.

Tatuajes y *piercings*

Los tatuajes se han puesto muy de moda (no, yo tampoco alcanzo a comprenderlo). Celebridades y estrellas del deporte adornan su cuerpo con ellos, de manera que es natural que nuestros impresionables adolescentes deseen imitarlos.

Lo que tu hijo no comprenderá es que lo que ahora parece una idea extraordinaria, puede no serlo dentro de cinco o diez años, y si quiere quitárselo, el proceso es largo y doloroso.

Ante todo, un chico menor de dieciocho años debe contar con el permiso de los padres para hacerse un tatuaje, una norma que deben conocer quienes se dedican a la profesión. Si es demasiado joven, simplemente di «no», pero anticípale que estarás dispuesto a hablar de nuevo de este tema cuando cumpla los dieciséis o sugiérele un tatuaje de jena para que vea qué tal le sienta. Si lo prueba, y a los dieciséis le sigue gustando, pero tú no lo apruebas, llega a un compromiso con él y acepta un diseño muy pequeño y discreto en la parte superior del muslo o en el pie.

Los adolescentes menores de dieciséis años necesitarán el consentimiento paterno para hacerse un *piercing*. Una vez más, es tu gusto contra el suyo, pero si insiste en querer llevarlo, deberá esperar a cumplir los quince. Llegado el momento, dile que puede ponérselo en la lengua o el ombligo, pero que no quieres que vaya a la escuela con un *piercing* en la cara. En cualquier caso, acuérdalo con él. La autorización paterna implica acompañarlo.

Fran: «La principal razón por la que me haría un *piercing* es para ver la reacción de mis padres. Le pregunté a papá si podía hacerme uno en la lengua esperando que diría que no, en cuyo caso me lo habría hecho igualmente. Curiosamente, cuando respondió "Sí, pero lo pagas tú", la idea de que me taladraran la lengua y me pusieran una bolita metálica perdió buena parte de su atractivo».

Tareas escolares

Ésta es otra pesadilla de los padres y de la vida escolar de sus hijos. Aunque lo ideal sería que las hiciera tan pronto como regresara de la escuela, ahora que ya es mayor es difícil obligarlo. Procura minimizar la tensión de tener que pedirle constantemente que las haga llegando a un compromiso. Pídele a tu hijo que calcule exactamente el tiempo que deberá dedicarles para terminarlas. Si es él quien estipule el tiempo, es más probable que lo cumpla. Por ejemplo, al llegar a casa, los adolescentes suelen estar hambrientos, de manera que desearán apoltronarse delante del televisor con un sándwich y un refresco.

Si te sugiere la posibilidad de quedarse en la biblioteca de la escuela o asistir a clases de repaso, explícale los beneficios que tendría realizar los deberes allí: al llegar a casa podría relajarse y disfrutar de su tiempo libre. Una biblioteca o un aula es un lugar mucho más sugerente que un sofá delante del televisor para trabajar. Además, no se distraerá, pues hay alguien vigilando.

En casa, a cualquier edad, puede necesitar un poco de ayuda para organizar su trabajo. Anímalo y haz cuanto puedas para facilitarle las cosas, y si te pregunta algo, indícale cómo podría saberlo o dónde podría encontrarlo sin decírselo.

Si es difícil de motivar y necesita organización, ayúdalo y quédate en la misma habitación mientras trabaja.

Si tu hijo se niega a hacer los deberes, no pierdas la serenidad:

«Si lo quieres así, de acuerdo. Dejaremos que sea tu profesor quien decida».

> **Fran:** «Los padres deben comprender que a veces los adolescentes no están de humor para hacer las tareas escolares. Esto no significa que rindan poco en la escuela, sino que simplemente podrían haber tenido un mal día. Lamentarse continuamente no es un incentivo para el trabajo; sólo acarrea obstinación y discusiones».

Palabras malsonantes

A medida que los niños van creciendo, su vocabulario se «enriquece» y amplía más de lo que desearías. La televisión y las películas son la fuente principal, seguido de sus iguales y los padres. Por desgracia, la mayoría de nosotros usamos palabrotas con mucha frecuencia en casa sin ni siquiera darnos cuenta.

Decir palabras malsonantes forma parte de los rituales de transición en la adolescencia. Sin embargo, si tu hijo empieza a decirlas en casa con regularidad, toma cartas en el asunto. Dile que si ya es lo bastante mayor para ver este tipo de películas de lenguaje grosero, también debería serlo para saber que no deben pronunciarse en casa. Si tus opiniones no surten efecto, imponle un castigo, como por ejemplo nada de televisión u ordenador durante ese día.

Si tiene amigos que usan un lenguaje irrespetuoso cuando están en tu casa, adviérteles con una voz firme y de «cuidadito que estoy hablando muy en serio» que no estás dispuesto a tolerarlo. Los adolescentes suelen usar tacos cuando están entre amigos; queda adulto. Si los oyes hablar así, diles que dejen de hacerlo. No te muestres sarcástico ni trates de humillarlos; sería contraproducente.

Pero si tu hijo empieza de un día para otro a decir palabras malsonantes con regularidad, independientemente de lo que puedas decirle, sin duda habrá un problema de fondo. Habla con él para descubrir por qué está disgustado y analiza cómo se podría solucionar esta cuestión.

Asimismo, explícale cuán ofensivo puede ser para otros oír este tipo de lenguaje, de manera que cuando esté en un lugar público (calle, comercios, autobuses, cines, etc.) debería refrenarse.

Televisión y ordenadores

Como es bien sabido, los adolescentes estarían dispuestos a pasar semanas enteras delante del televisor o la pantalla del ordenador. Una buena forma de afrontar este problema consiste en retirar el televisor de su cuarto hasta que cumplan quince o dieciséis años. De lo contrario, verán la tele hasta quedar dormidos. En primer lugar, no tienes ni idea de lo que están viendo y, en segundo lugar, una tele es tan visual que estimula demasiado el cerebro e impide conciliar el sueño a la hora correcta; el insomnio hasta altas horas de la madrugada suele ser muy común.

Procura que la familia se reúna para comer o cenar lo más a menudo posible, a ser posible tres o cuatro veces por semana. La regla debe ser estricta: nada de tele, y mucho menos cuando esté haciendo los deberes. Esto reducirá en un par de horas el tiempo que pasa frente al televisor. Ignora sus «¡No es justo!». Si va a perderse su programa favorito o el partido de fútbol durante la cena, dile que lo grabe.

Si te preocupa el tiempo que pasa en el ordenador, llega a un acuerdo con él.

Seguridad e internet

Y justo cuando creías que estaba a salvo en casa, llega internet con los peligros del chat.

Aunque hayas bloqueado el acceso a las páginas de sexo y violencia, los chats son muy atractivos para un chico rebosante de curiosidad. Para un adolescente, contactar con nuevos «amigos» a través de la red es una forma muy excitante de ensanchar su vida social, y además sin necesidad de salir de casa. El peligro que se esconde detrás de los chats es que no tienes la menor idea de si la persona con la que estás hablando es quien dice ser. Los pedófilos y otros perturbados sexuales acceden a los chats con muchísima frecuencia, animando a los chicos a entablar una buena amistad con la única intención de persuadirlos para conocerse personalmente.

Explica a tu hijo o a tu hija que utilice siempre un nombre imaginario (*nickname*) al acceder a un chat, y lo más importante: independientemente de la amistad que pueda entablar con una determinada persona, **no divulgar nunca su nombre, domicilio o escuela, número de teléfono fijo o móvil, dirección de correo electrónico e incluso la ciudad y zona de residencia. Y, sobre todo, nunca aceptar una proposición de encuentro personal con alguien a quien ha conocido a través de internet.**

Entérate de si la escuela dispone de un chat «cerrado» para adolescentes al que sólo puedan acceder los alumnos o amigos de los alumnos a los que se haya facilitado la dirección de la *website*.

Dile a tu hijo que si alguien insiste en que le facilite información personal o le pida un encuentro cara a cara, lo ponga en tu conocimiento. Habla con él con calma; si te disgustas sólo conseguirás que no te diga nada. Dile también que no abra e-mails o archivos de nombres que no conoce; podrían contener virus o material pornográfico. Explícale que no te molesta que acceda a chats siempre y cuando se mantenga en el «área pública» y evite el *whispering* (literalmente, «susurro»), una forma de enviar mensajes privados a un destinatario. Pídele que cierre siempre los programas al finalizar la sesión, ya que los chats y las páginas de descarga de música son especialmente vulnerables a los virus y podrían dañar sus archivos.

Eso es exactamente lo que le ocurrió a mi hijastra Francesca, que dejó abierto toda la noche un programa de descarga de música en mi ordenador. Por la mañana no quedaba ni un solo archivo. Habían desaparecido todos, cada palabra, todo. Ya sé que debería hacer copias de seguridad (*back ups*) cada noche, pero no lo hice. Tuve que contratar a un informático y gastarme dos mil libras para recuperar el material del disco duro.

«Francesca…, ¿podemos hablar…?»

Para evitar el acceso a páginas de sexo y violencia, sigue las instrucciones facilitadas por tu proveedor del servicio de internet en relación con el control paterno. Puedes consultar la Ayuda en tu PC, buscar en el índice «Controlar el acceso a contenido de internet inapropiado» e ir siguiendo las instrucciones.

Epílogo

A medida que los niños se convierten en adolescentes entran en la última etapa de desarrollo de su vida en la que vamos a estar implicados directamente. Es, pues, una excelente ocasión para intervenir e influir en ellos positivamente.

Nuestros adolescentes están en la rampa de lanzamiento que los conducirá a la vida adulta, y éstos son los últimos años antes de que abandonen el hogar familiar para seguir sus sueños y aspiraciones, que coincidirán o no con los que habíamos imaginado para ellos.

¿Hemos hecho un buen trabajo? ¿Hemos conseguido hacer de ellos las mejores personas posibles?

Hasta la fecha les hemos todo cuando hemos podido, desde un coche a pedales hasta el último DVD de moda, pero ¿están bien equipados para todas aquellas situaciones que deberán afrontar cuando finalmente se sumerjan en el mundo adulto? ¿Dispondrán de todas las habilidades necesarias en la vida para sentirse seguros de sí mismos en cualquier situación?

Como padres, sabemos cuán duro es el mundo que los está esperando y queremos dar a nuestros hijos las máximas oportunidades para que sean capaces de prosperar. En consecuencia, somos responsables de enseñarles has «técnicas» que sin duda alguna los ayudarán a confiar en sí mismos y a triunfar en la vida.